ESTD 2023

FASHIONARY

Seichi

Credits

패셔너리 (Fashionary)

발행	2024년 7월 17일
저자	김세호(세이치)
디자인	김세호(세이치)
편집	김세호(세이치)
펴낸이	송태민
펴낸곳	열린 인공지능
등록	2023.03.09(제2023-16호)
주소	서울특별시 영등포구 영등포로 112
전화	(0505)044-0088
이메일	book@uhbee.net
ISBN	979-11-94006-32-9

www.OpenAIBooks.com

ESTD 2023

FASHIONARY

Seichi

Contents

■ 패션 아이템 사전

- 자켓 (Jackets) 길이에 따른 명칭
- 바지 (pants) 길이에 따른 명칭
- 소매 (sleeve) 길이에 따른 명칭
- 스커트 (Skirt) 길이에 따른 명칭

- 신발 (Flat)
- 신발 (Boots)
- 신발 (Heel)
- 바지 (Trousers / Pants)
- 스커트 (Skirts)
- 모자 (Hats)
- 가방 (Bags)
- 자켓, 코트 (Jackets / Coats)
- 셔츠 (Shirt)

- 드레스 라인 (Dress shape)
- 넥라인 (Neckline)
- 소매 (Sleeve)
- 칼라 (Collar)
- 커프 (Cuffs)

옷이 어떤 역할을 하는지,
패션의 정체성 표현과
심리학적인 측면을 먼저
알아볼 필요가 있습니다.

나를 표현하는 수단,
패션

옷의 역할

역사를 통해 봤을 때, 옷은 계급, 소속 그룹, 직업, 거주지 등 다양한 요소를 표현하는 도구였습니다. 사회적인 지위를 대변하는 상징물로 활용되어 왔고, 현대 사회에서도 같은 집단에 속함을 나타내는 의복을 착용함으로써 '사회화'가 됩니다. 예술이나 정치 등 다양한 분야에서도 옷은 개인을 구별하면서, 동시에 통합하는 역할을 합니다.

더불어, 옷은 개인의 자아와 정체성을 표현하는 도구로 작용합니다. 여기서 '자아'는 타인과의 상호작용을 통해 자신을 인식하고 반성하는 과정에서 형성되며, '사회화'는 개인이 속한 사회나 집단의 기준에 맞춰 사회적으로 적응하는 데 필요한 것입니다.

패션과 정체성 : 옷이 전달하는 메시지

우리는 특정 물품을 대할 때, 마치 자신을 대하듯이 생각하고 행동하는 경향이 있습니다. 즉, '나'라는 개념을 '내 소유'와 동일시하는 경향을 말합니다. 나의 정체성을 '내 소유물'에 입혀 드러내는 경우가 있습니다.

옷은 우리의 정체성을 나타내는 방법의 하나이며, 패션은 이를 효과적으로 전달하는 좋은 도구입니다. 사람들이 옷을 입는 스타일은 다양하며, 옷을 선택하는 데 고려하는 요소에는 자신의 취향과 색상, 가격, 사이즈, 소재, 착용감, 브랜드 인지도, 할인율, 계절적 적합성, 유행 여부, 구매 시점, 교환 및 환불 가능성, 사후 서비스 등이 있습니다.

또한, 자신이 입은 옷에 대해서는 다른 사람들의 삶보다 더 큰 관심을 가집니다. 옷을 선택하고 입는 과정에서 사회적, 문화적, 직업적인 규범이나 규칙에 구애받는 경우도 있습니다. 패션을 따르는 이유는 다양하며, 개인의 신체적 장점을 강조하거나, 단정한 이미지를 보여주거나, 사회적 지위를 나타내거나, 혹은 다른 집단과의 차이를 보여주기 위해 옷을 선택합니다. 따라서, 옷은 개인의 의도와 욕구를 반영하여 드러내는 도구이며, 이를 통해 자신의 정체성을 나타낼 수 있습니다.

우리는 자신을 다른 사람들과, 특히 자신과 비슷한 그룹의 사람들과 비교하는 경향이 있습니다. 특정 물건을 착용하면, 자신의 가치를 판단하는 기준 또한 변화하기도 합니다.

예를 들어, 안경을 착용한 사람이 자기 능력과 지능을 평가할 때, 안경을 착용하지 않은 상황보다 더 긍정적으로 평가하는 경향이 있습니다. 적절한 작업복을 입었을 때, 자신이 해당 분야에서 능력 있고 책임감 있는 사람이라고 생각하는 경향이 있습니다. 비즈니스 정장을 입은 사람은 자신을 권위 있는, 신뢰할 수 있는, 생산적이며 유능한 사람으로 보지만, 일상복을 입은 사람은 자신을 유능한 것보다는 '친절한 사람'으로 보는 연구 결과도 있습니다.

패션의 심리학 : 옷을 통한 자아 발현과 사회적 연결성

우리는 자신의 사회적 위치를 보여주거나, 자신에 대한 확신을 얻기 위해 옷을 선택하여 상대방과 의사소통하곤 합니다. 특히, 자기 외모에 대해 세심하게 신경 쓰면서 다른 사람들이 자신을 평가하는 것에 관심이 많은 사람들이 있습니다. 이들은 보통 옷차림에 따라 감정 상태가 변화한다고 느끼며, 유행을 따르는 경향이 있습니다.

이런 부류의 사람들은, 타인이 보는 본인의 첫인상 역시 옷에 따라 변화할 수 있다고 생각합니다. 이들은 자신에게 엄격한 기준을 적용하며, 옷차림에 많은 신경을 쓰고, 그들이 속한 그룹 속에 있는 암묵적인 룰에 따르면서도 유행하는 스타일을 추구하며, 이를 통해 심리적 안정감을 얻는 경향이 있습니다. 이들은 품질보다는 브랜드가 주는 이미지에 더 민감하게 반응하며, 이렇게 광고된 제품에 대해 더 많은 돈을 지불할 의향이 있습니다.

우리는 어떤 사람을 처음 만났을 때 그 사람의 외모와 몇 가지 특징만을 가지고 판단하는 경우가 많습니다. 일반적으로, 심리학에서는 자신과 상대방과의 비교를 통해 자신에게 유리한 결과를 얻는 경향이 있습니다.

패션 덕분에 우리는 서로의 다양성을 인정하면서도 공통점을 통해 연결됩니다. 어떤 그룹은 구성원들에게 통일된 복장을 요구하면서도, 다른 그룹에서는 그룹의 분위기에 맞추어 자신의 옷차림을 바꿔가며 소속감을 느낍니다. 또한, 최신 패션 트렌드를 따르면 유행을 선도하는 그룹에 속할 수 있기도 합니다. 이렇게 양면성을 보이는 것은 패션의 독특한 특성입니다. 사람들은 자신의 개성을 표현하고 싶을 때 옷을 통해 나타내기 때문입니다.

타인의 평가나 의견은 자신이 어떤 사람인지 인식하는 데 도움이 되며, 자아와 정체성, 자존감에 영향을 미칩니다. 사람들은 일반적으로 다른 사람들과 비교하여 자신의 가치를 측정하며, 부정적인 이야기에 대해서는 무시하거나 그 의미를 축소하는 경향이 있습니다. 이러한 이유로 패션은 우리의 일상생활에 큰 영향을 미칩니다.

자존감이 높은 사람은 자신을 긍정적인 성격이나 특성을 가진 사람이라고 생각하며, 일반적으로 낙관적이고 자신감이 있으며 모험을 즐깁니다. 이들은 대체로 남들이 자신을 어떻게 생각하느냐에 크게 신경 쓰지 않습니다. 반대로 자존감이 낮은 사람들은 자신을 부정적으로 보며, 낙관적이거나 긍정적인 성격이 부족하다고 생각하는 경향이 있습니다.

우리가 속한 그룹에서 공유하는 가치와 문화는 우리의 사고방식과 행동, 그리고 자아의 정체성에 큰 영향을 미칩니다. 자신이 생각하는 이미지와 실제 이미지가 다르면, 사람들은 심리적으로 불안감을 느끼기도 합니다.

옷은 우리가 사회화 과정에서 배운 문화의 전통, 가치, 감정, 이념을 반영하고 상징합니다. 우리는 자신이 속한 그룹에서 인정과 소속감을 얻습니다. 패션을 통해 속한 사회의 정체성을 표현하고, 이를 통해 그 사회에 속해 있다는 소속감을 느낍니다.

어떤 사람들은 그룹에 속하고 싶은 욕구로 인해 옷차림을 바꾸지만, 대부분의 사람은 이미 자신이 가지고 있거나 원하는 특성을 가진 그룹을 선호합니다. 패션은 자신의 개성을 드러내고 자신을 표현하는 좋은 방법입니다. 이처럼, 사람들은 자신의 정체성을 표현하기 위해 새로운 스타일을 추구하거나, 기존의 것에서 안정감을 얻습니다. 어떤 사람들에게 패션은 그저 가벼운 유행을 따르는 행위일 수 있지만, 다른 사람들에게는 자신이 추구하는 가치와 신념을 표현하는 중요한 수단입니다.

지금까지 자아와 정체성에 대한 패션의 기능과 영향에 대해 주로 집중적으로 살펴봤습니다. 이어서 패션의 산업이 발전함에 따라 크게 쟁점이 되고 있는 패스트 패션에 대해 알아보고, 우리는 어떻게 패션을 선택해야 할지 생각해 보는 시간을 갖도록 하겠습니다.

오래 전부터 말이 많았던
패스트 패션(Fast Fashion).

패스트 패션의 특징과
우리에게 준 영향까지,
그 문제점을 살펴보겠습니다

패스트 패션

패스트 패션의 등장

패스트 패션의 선두 주자로 등극한 '자라'(ZARA)는 1975년 스페인에서 출발했습니다. 그들의 핵심 아이디어는 '고급 패션을 더욱 경제적으로 소비자에게 제공하는 것'이었습니다. 1985년, 자라는 빠르게 변화하는 패션 트렌드에 대응하기 위해 제품의 디자인부터 제조, 유통 과정을 개선하였고, 그 결과 리드 타임(제품을 주문했을 때부터 소비자에게 도달할 때까지 걸리는 시간)을 크게 단축하였습니다. 자라의 창업자인 아만시오 오르테가는 이것을 '즉석 패션'이라고 표현하였고, 이것이 바로 패스트 패션을 정확하게 표현하는 말입니다.

자라는 패스트 패션 브랜드 중에서도 리드 타임이 굉장히 짧은 편입니다. 자라의 리드 타임은 대략 3주 정도이며, 한 디자인이 매장에서 머무르는 기간도 평균적으로 3~4주를 넘지 않습니다.

SPA(제조에서 소매 및 유통까지 전 과정을 직접 관리하는 패션 기업) 브랜드는 자라의 빠른 성장과 함께 빠르게 변하는 패션 트렌드에 대응하는 시스템을 채택했고, 이에 따라 탑샵, 포에버 21, 유니클로 등과 같은 브랜드들이 함께 성장하게 되었습니다.

우리는 모두 아름다운 것에 끌리고 그것을 소유하고 싶어 합니다. 그것이

예쁘다는 이유로 사거나, 진심으로 원하는 제품을 가진다는 것은 그 자체로 가치 있는 일이며, 반드시 나쁘다고는 할 수 없습니다. 그러나 어떤 물건들은 소유한 후에 오히려 마음이 빈곤해지는 경향이 있습니다. 정말 좋아해서 산다기보다는, 가치가 높은 것을 싸게 가지고 싶은 소유욕으로 구매하거나, 가격이 저렴하니 혹시나 나중에라도 입지 않을까 싶어서, 혹은 트렌드에 따라가야 할 것 같은 압박감에 구매하는 경우가 있습니다.

물론 저렴한 가격과 트렌드를 따르는 것들이 나쁘다는 것은 아닙니다. 단지 옷을 소비가 빠른 상품으로 여기는 관점, 잠시 즐기고 버리는 소비 문화와 지속 가능하지 않은 생산 방식은 환경에 큰 부담을 주게 되며, 이러한 패턴이 계속되면 지구의 미래에 대한 우려가 더욱 커질 것입니다.

패스트 패션이 시장에 준 영향

'보세'라는 용어로 알려진 저렴한 의류가 한국 시장에서 브랜드 의류와 경쟁을 벌였습니다. 그리고 그 뒤를 이어 스파 브랜드가 등장하면서 브랜드 의류를 저렴하게 구매할 수 있는 기회가 늘어났습니다. 스파 브랜드의 진출로 인해 명동, 이대, 홍대 등의 상권에서 보세 의류 매장들이 점차 사라지는 현상이 발생했습니다.

일반 브랜드들 역시 가격 경쟁력을 높이고 공격적인 마케팅 전략을 펼쳐 스파 브랜드들과 경쟁하였으며, 소비자들은 이런 변화에 빠르게 적응했습니다. 이 과정에서 '저렴한' 가격이 '합리적인' 가격으로 인식되었고, 결국 브랜드들은 제품의 적정 가격을 받기 어려워졌습니다.

소비자들의 저렴한 가격에 대한 요구에 부응하려는 기업들은 중국, 인도네시아, 베트남 등 저임금 국가로 생산 공장을 이전하였고, 결과적으로 한국의 공장들은 일거리를 잃었습니다. 생산 기계들도 처분하고, 고급 인력인 기술자들은 다른 일을 찾아야 하는 처지에 놓이기도 했습니다.

물론 제품의 가격이나 디자인이 매력적이라는 이유로 이를 선택하는 것은 시장의 자연스러운 흐름입니다. 이런 흐름을 모두 소비자의 잘못으로 돌릴 수는 없습니다. 많은 사람이 저렴한 가격으로 물건을 구매하는 것을 혜택이라고 생각하고 있습니다. 다만 저렴한 가격 뒤에는 분명히 다른 면도 존재한다는 것을 알아야 합니다.

소품종 소량 생산을 통해 제품을 만드는 작은 기업에게는 건강한 현지 환경이 필요합니다. 한국의 공장들과 기술자들이 사라진다면, 산업 생태계 자체가 파괴됩니다. 작은 브랜드들은 소규모 공장들이 없다면 존재하기 어렵습니다. 그렇게 되면 우리의 선택지도 더욱 줄어들게 됩니다.

H&M이나 자라 같은 대형 스파 브랜드들은 처음에는 저렴한 가격으로 좋은 디자인, 좋은 문화를 가져다주는 평등한 기회를 제공해 주는 것처럼 보였습니다. 그러나 시간이 지나면서 열악한 환경에서 제품을 생산하게 되고 노동 가치를 저평가하는 경향이 커졌습니다. 우리는 여기서 생산자, 소비자 모두가 손해를 보고 있는 것은 아닌지 생각해 볼 필요가 있습니다.

패스트 패션과 환경 변화

패스트 패션은 패션 산업의 흐름에 많은 변화를 불러왔습니다. 3~4 주마다 또는 그보다 빠르게 저렴한 제품을 대량으로 생산하는 패스트 패션 브랜드의 등장으로 유행의 주기가 크게 짧아졌습니다.

또한, 소비자들이 의류를 자주 구매하고 쉽게 폐기하는 현상은 패스트 패션의 영향이 크다고 할 수 있습니다. 기존에는 1년에 두 번 열리던 패션쇼가 이제는 계절에 따라 더욱 세분되어 진행되는 등 신제품 출시 횟수도 늘어났습니다.

패션 산업의 규모가 증가함에 따라, 그것이 지구환경에 미치는 영향 또한 무시할 수 없게 되었습니다. 패션 산업은 작물 재배부터 제조, 운송, 판매에 이르는 전 과정에서 많은 탄소를 배출하며, 이는 전 세계 탄소 배출량의 10%를 차지하는 수치입니다. 특히 폴리에스터와 같은 저렴한 합성 섬유의 수요가 증가하였습니다.

또한, 패션 산업은 전 세계에서 두 번째로 많은 물을 사용하는 산업입니다. 특히, 면 소재는 재배부터 많은 양의 물이 필요합니다. 물의 사용량만 보더라도 패션 산업이 환경에 미치는 영향은 크다고 할 수 있습니다.

그뿐만 아니라, 패션 산업은 수질 오염 문제도 심각합니다. 원단을 표백하고 염색하는 과정에서 화학 물질이 다량 사용되며, 이후 남은 물이 하천이나 강으로 배출되면서 수질 오염을 일으킵니다. 세탁 과정에서도 환경에 미치는 영향이 큽니다. 합성 섬유로 만든 의류를 세탁할 때, 매년 약 50만 톤의 미세 플라스틱이 바다로 유입되며, 이는 생수병 500억 개와 같은 양입니다.

이런 과잉 생산과 과잉 소비의 악순환은 인간의 소비 습관을 바꾸어, 그 결과 지구 환경에도 큰 영향을 미치고 있습니다. 이러한 문제를 해결하기 위해서는 패스트 패션의 흐름 자체를 바꿔야 할 것입니다.

패션 업계는 화려합니다.

화려한 모습 뒤에 감춰진 모
명품이라 불리는 고급 브랜드
저가 패션과의 관계까지
대략적으로 살펴보겠습니다.

패션 업계의 뒷모습

패션 업계의 현실

패션 산업은 크게 원재료 제조 및 유통, 의류 제작, 그리고 판매라는 3단계로 이루어집니다. 일반적으로 사람들이 패션 디자이너라는 직업을 생각하면, '의류 제작' 부분이 가장 먼저 떠오르지만, 실제 패션 산업은 원재료부터 의류 제작, 판매에 이르는 전 과정을 포함하고 있습니다.

'벤더사'라는 용어는, 브랜드 디자이너나 의뢰자가 요구하는 제품을 완성하고 공급하는 기업을 말합니다. 'OEM 제품'이라고 표기된 의류는 이런 형태의 제품을 말하며, 디자인 작업까지 함께 참여해 진행된 경우는 'ODM 제품'이라고 합니다.

브랜드에서 의뢰한 특정 컨셉의 옷을 제작하려면, 디자이너는 이미 공장과 협의가 완료된 디자인과 원단을 추천합니다. 이렇게 해야 한 공장에서 일관된 원단을 사용하여 제작을 쉽게 의뢰할 수 있습니다. 때로는 디자인 기획 요청도 함께 들어오는 경우도 있습니다. 이때 디자이너는 기존의 옷 디자인을 살짝 수정하여 공장에 제작을 의뢰합니다.

디자인이 완성되면, 디자이너들은 원단을 파는 곳을 돌아다니거나 원단 업체나 공장에서 받은 샘플을 확인하며 제품의 최종 디자인을 결정합니다. 의뢰인과 벤더사, 공장은 샘플을 여러 차례 택배로 주고받습니다. 이때

기장을 1인치 정도 줄이라고 하거나, 소매에 시보리를 추가하라는 등의 구체적인 요구사항을 주고받습니다. 그리고 그때부터 비용 '네고'가 시작됩니다. 제작 수량, 단가, 납품 일정 등을 협상하는 것입니다.

패션 기업은 점점 빅데이터 기업으로 변화하고 있습니다. 고객의 취향에 따라 선택받는 제품이 베스트셀러가 되기 때문에, 패션 산업은 소비자 취향의 변화를 가장 잘 반영할 수 있는 최전선에 위치하게 됩니다. 제품의 크기, 색상, 패턴, 재료, 브랜드, 가격뿐만 아니라 고객이 표현하기 어려운 제품에 대한 애매모호한 생각까지 다양한 변수를 데이터로 변환하고 분석하여 활용합니다.

브랜드에 소속된 디자이너의 업무는 약간 다르지 않냐는 질문이 나올 수 있습니다. 이들은 물론 어떤 고객층을 대상으로 할지, 브랜드 철학과 스타일을 어떻게 유지하거나 변화시킬지에 대한 고민을 합니다. 그러나 회사가 보유한 기존 디자인의 틀 안에서, 다양한 요소를 섞어 새로운 것을 만드는 일이 주요 업무인 경우가 많습니다.

디자이너라고 하면, 깨끗한 도화지에 완전히 창조적인 디자인을 그려 넣는 일을 생각하기 쉽지만 실제로는 그렇지 않습니다. 자신의 브랜드를 만들지 않는 한, 회사에 속한 디자이너 대부분은 자신만의 디자인에 대한 꿈을 펼치기는 매우 어렵습니다.

디자인을 카피하다

디자이너 중에서는 불법적인 카메라를 활용하는 경우가 종종 있습니다. 특히 신입 디자이너들은 이런 도구를 이용해 백화점이나 편집샵에서 다른 브랜드의 제품 디자인을 참조하는 일이 흔합니다. 그들은 비슷한 컨셉의 다른 브랜드 제품을 구매해 디자인을 모방하고 나서 그 제품을 환불하는 일을 맡게 됩니다. 이는 각 브랜드가 서로의 아이디어를 참조해서 발전하는 패션 업계의 특징적인 한 부분입니다. 매 시즌 출시되는 옷들의 디자인이 매번 창조의 고통에서 탄생하는 것이라고 생각한다면, 그것은 오해입니다.

국내 패션 디자이너들이 해외 매장에서 무더기로 옷 사진을 찍다가 적발되는 사건도 있습니다. 반대로, 우리나라 패션 제품이 다른 나라의 공장에서 불법 복제되는 문제도 심각하게 대두되고 있습니다. 다른 브랜드의 매장에 들어가 제품 사진을 몰래 찍는 행위는 이미 패션업계에서 흔히 일어나는 일입니다. 또한, 다른 브랜드의 제품을 구매하여 제작용 샘플로 사용하는 경우도 있습니다. 이런 상황에서 패션업계는 '도둑 고객'이 찾아오지 않도록 경계하며, 이에 대한 대응도 사실상 어렵습니다.

특정 디자인의 제품을 보면, 그것이 단순히 비슷한 정도의 것이 아니라 완전히 동일한 제품을 다른 브랜드에 공급하는 경우도 있습니다. 예를 들어, 백화점의 브랜드로 고가에 판매하는 티셔츠와 명동 지하상가에서 저렴한 가격에 판매하는 티셔츠가 원단과 제작 과정에서 차이가 전혀 없을 수도 있습니다. 이렇게 동일한 제품을 매우 다른 가격에 판매하는 경우가 생각보다 많으며, 복제품을 판매하는 입장에서도 그 제품이 어떤 명품을 복제한 것인지를 정확히 알 수 없는 상황도 발생합니다. 소비자들 또한 자신이 구매한 제품이 어떤 제품을 복제한 것인지 알기 어려운 경우가 많습니다.

패션 디자이너들은 사실 '디자인 카피' 문제에 대처하기 어렵습니다. 디자인등록출원이나 실용신안을 통해 자신의 디자인을 보호해야 하지만, 실제로는 도움이 되지 않습니다. 디자인등록출원 과정은 심사 기간이 대략 6개월에서 1년이 걸리는데, 심사 과정을 기다리는 동안에도 시즌은 이미 지나가 버리며, 복제품은 계속해서 만들어지고 있습니다. 게다가 패스트패션의 영향으로 옷의 수명주기가 계절보다 더 짧아지고 있어서 카피를 막기에는 시간이 부족합니다. 이러한 상황에서 디자이너들은 창의력을 펼칠 시간과 영감을 찾기 위한 여유를 가지기 어렵다고 봐야 합니다. 잘 팔릴 아이템을 얼른 카피하면 되니까요.

고급 브랜드와 저가 패션의 숨은 거래

패션 산업은 복제를 허용하는 독특한 특성을 지니고 있습니다. 저가 패션 브랜드들은 상위 브랜드로부터 '계약'을 통해 허락을 받아 그들의 디자인을 활용하고, 반대로 상위 브랜드는 대량으로 생산되는 저가 패션 제품들로부터 영감을 받습니다. 상위 브랜드의 복제품들은 고급 브랜드에 대한 소비자들의 열망을 불러일으키기 때문입니다.

복제는 제품 제작 시간을 단축하고, 소비자들은 항상 새로운 것을 찾습니다. 이런 상황을 고려하면, 복제는 패션 산업 전체를 움직이는 핵심 요소라는 것을 알 수 있습니다. 그래서 이런 특성을 적극적으로 수용하며, 서로 모방하며 상호 이익을 추구하는 것입니다. 빠른 생산 주기는 복제를 장려하고, 복제는 생산 속도를 더욱 촉진합니다.

그 사이에는 수십억 원에 달하는 고급 브랜드들이 저가 패션 브랜드가 이용하는 곳과 '유사한' 공장에서 노동자들을 활용하며, 때로는 '유사한' 원단을 사용하여 옷을 제작하고 있습니다. 이렇게 고급 패션과 저가 패션 사이에서의 이중적인 관계는 이미 멈출 수 없는 상태에 이르렀습니다. 그래도 패스트 패션의 큰 흐름 속에서, 창의력을 발휘하려 노력하는 많은 패션 디자이너가 존재하긴 합니다.

매일 수억 원어치의 새로운 옷이 생산됩니다. 창의성이나 영감을 기대하는 시간은 사실상 존재하지 않습니다. 일단 옷을 만들고, 그 옷을 사려는 사람을 찾기만 하면 됩니다. 구매자가 없다면 이번 시즌의 색상이나 트렌드를 끊임없이 창조하여 사람들이 구매하도록 만들면 됩니다.

그럼에도 불구하고, 창의력을 발휘하는 열정적인 패션 디자이너들이 분명히 존재합니다. 때로는 독립적인 디자이너들이 그들만의 철학을 담은 브랜드를 선보이기도 합니다. 무에서 유를 창조하고, 사람들이 옷을 통해 일상에서 즐거움을 느낄 수 있도록 노력하는 디자이너와 브랜드들도 있습니다. '명품 브랜드'라는 수식어는 이제 사치품의 동의어로 쓰이지만, 원래의 의미대로 이런 옷들에 붙여야 하지 않을까 싶습니다.

문제는 자본주의 사회에서 이들의 독특한 예술 정신조차 패스트 패션의 블랙홀에 흡수된다는 것입니다. 특정 철학을 가진 브랜드의 옷이 인기를 끌기 시작하고, 소셜 미디어에서 입소문이 나면 이를 복제하려는 움직임이 빠르게 시작됩니다. 하지만 이 역시 복제라고 부르기 어려운 상황입니다. 소셜 미디어에 올라오는 사진과 패션 플랫폼의 주문량을 데이터로 변환하여 공장에 빠르게 제품을 요청하는 것은 '기술과 노하우'로 인정받고 있기 때문입니다.

기업들은 '디자인에서 매장 전시까지의 주기(Design to Retail Cycle)'를 경쟁적으로 계산하여 타사와 비교합니다. '자라'는 이 주기가 세계에서 가장 짧다는 것을 자랑스럽게 알립니다. '쉬인(Shein)' 같은 경우에는 고객 데이터를 기반으로 3일 만에 디자인을 완성한다고 합니다. 소셜 미디어로 현재 유행하는 옷, 잘 팔리는 옷에 대한 데이터를 실시간으로 수집하고, 디자이너는 이 데이터를 기반으로 디자인을 시작하는 것입니다.

이런 상황에서 우리가 일상에서 보는 옷 가게들을 생각해 보면, '이 가게에서만 볼 수 있는 독특한 디자인'이 점점 줄어들고 있는 것을 알 수 있습니다. 대부분의 옷은 어디에서나 쉽게 볼 수 있는 것들입니다. 맞춤복 디자이너나 플랫폼을 통해 떠오르는 브랜드의 디자이너들을 제외하고, 대부분의 디자이너에게 남은 것은 창조의 고통이 아니라 카피의 고통입니다.

국내 지역(로컬) 브랜드의 강점

소비자에게 지역 브랜드의 가장 큰 매력은 대형 글로벌 브랜드에 비교해 훨씬 더 고유성을 가지고 있다는 점입니다. 여기에서 말하는 고유성은, 세상에 유일한 디자인을 가진 것을 의미하는 것이 아닙니다. 글로벌 브랜드보다 제품 수량이 적어 비교적 덜 흔한 옷이며, 특정 지역에서만 쉽게 구할 수 있는 옷입니다. 반드시 독특한 디자인이 아니더라도 약간씩 차별화된 제품들이 다양하게 존재하면 패션의 생태계는 풍요로워집니다.

외국에 여행을 가서 쇼핑할 때, 한국에서 쉽게 찾을 수 있는 브랜드의 옷 대신 지역 브랜드의 옷을 선택하는 것은 그 자체로 특별한 경험이 될 수 있습니다. 지역 브랜드를 선호하는 행동은 지역 경제를 부흥하는 일이기도 합니다. 지역 브랜드의 옷이나 지역에서 제작된 옷을 구매함으로써 그 옷과 관련된 다양한 사업체와 사람들이 지원받게 됩니다. 또한, 다양한 소규모 사업체들이 해당 지역을 더욱 독특한 곳으로 만들어줍니다. 예를 들어, 대전의 성심당에서는 그 지역에서만 구할 수 있는 빵을 판매하고 있는 것처럼 말이죠.

제품 제작부터 유통까지의 전 과정이 상대적으로 투명하다는 것도 지역 브랜드의 장점 중 하나입니다. 글로벌 브랜드들이 개발도상국에서 의류를 제작하는 이유는 저렴한 노동비뿐만 아니라, 비용이 많이 드는 선진국의 복잡한 규제를 피해 경제적 효율을 극대화하기 위해서입니다. 옷 한 벌에는 많은 산업이 연결되어 있어, 그 옷과 관련된 복잡한 공급망을 완벽하게 추적하기는 매우 어렵습니다. 현지에서 생산되는 재료로 현지에서 제작되는 제품일수록 공급 과정을 더 투명하게 관리할 수 있습니다. 지역에서 제작된 제품의 몇몇 부품이 수입품이라도, 각각 다른 국가의 다른 공장에서 이루어지는 제품보다는 수많은 과정이 훨씬 더 투명하게 관리되고 있다고 볼 수 있습니다.

환경적인 측면에서도 지역의 제품을 선택하는 것이 훨씬 친환경적입니다. 지역에서 생산된 원재료로, 해당 지역에서 제작된다면 더욱 그렇습니다. 대량의 탄소를 배출하는 '항공 운송 과정'이 크게 줄어들기 때문입니다. 가끔 인터넷 주문을 하고 직접 매장 픽업을 하는 경우가 있습니다. 아무리 친환경 포장을 사용한다고 해도 그 포장조차 줄이고, 운송에서 발생하는 탄소 발자국을 조금이라도 줄이기 위해서입니다.

물건을 생산하는 것 자체가 이미 탄소 발자국을 남기는 행위이므로, 탄소 발자국이 제로인 옷을 찾는 것은 사실상 불가능에 가깝습니다. 그러나 의류가 환경과 사회에 미치는 다양한 영향을 알고 좀 더 주의를 기울인다면, 완전히 무해한 소비는 아니지만 더 나은 소비는 가능합니다. 저렴한 옷을 자주 구입하기보다는 오래 입을 수 있는 옷을 가끔 구입하는 것이 더 좋습니다. SPA 브랜드의 옷을 구입하더라도, 지속 가능한 소재를 사용한 옷이 그렇지 않은 옷보다 더 좋습니다. 새 옷보다 중고 의류를 구입하는 것이 사실 더 좋습니다. 수입 옷보다 지역의 옷을 구입하는 것이 좋고, 지역 브랜드라도 제작 과정이 국내에서 이루어진 것이 더 좋고, 원단까지 국산이라면 더욱 좋습니다.

생산자가 지속 가능성의 기준을 어디에 두느냐에 따라 회사 운영 방식이 달라지듯이, 소비자로서 자신의 기준을 세워보는 것을 추천해 드립니다. 의류 내부에 있는 '취급 방법' 라벨을 확인하는 것은 옷에 대한 최소한의 정보를 얻는 가장 쉬운 방법입니다.

저 같은 경우에는 취급 방법 라벨이 없는 옷은 절대로 선택하지 않습니다. 취급 방법 라벨을 확인하는 습관을 들여 가능한 한 정확하고 상세한 정보가 있는 옷을 구입하려고 노력합니다.

옷을 구입하기 전에 내가 소비하려는 브랜드가 어떤 가치를 추구하는지 알아보는 것도 좋습니다. 소비는 필연적으로 누군가에게 영향을 주고 누군가를 지원하는 행위인 만큼, 소비에도 공부가 필요합니다.

우리는 각자의 이유로
여러 패션 아이템을 샀습니다

그런데, 옷장은 꽉 차있지만
막상 입을 게 없네요.
어떻게 해야 할까요?

뭘 입어야 할까요?

입을 옷이 없어요

매일 새로운 의류가 우리의 집으로 배송되지만, 끊임없이 입을 것이 없다는 느낌을 받는 이유는 무엇일까요? '의류를 구입한다'라는 방법으로 '입을 것이 없다'라는 문제를 해결할 수 없다면, 다른 대안을 찾아봐야 할 것입니다. 하지만 인스타그램의 광고를 보면, 다른 대안을 찾을 여유가 없습니다. 피드에 올라온 그 옷만 입으면 내일 아침에 집을 나설 때, 마치 세상의 주인공이 된 것 같은 기분을 느낄 수 있을 것 같습니다.

옷장이 가득 차 있어도, 당장 필요한 특정 색상, 소재, 느낌의 옷이 없기 때문에 옷이 없다고 느낄 수 있습니다. 그래서 결국 또 쇼핑합니다. 그리고 일주일 후에, 다시 옷장 앞에서 입을 옷이 없다고 고민하게 됩니다.

유행은 엄격한 규정에 의해 결정됩니다. 시즌마다 새로운 유행이 등장하는 것은 이상하게 느껴집니다. 왜 우리는 계절마다 새로운 유행이 필요한 것일까요? 유행은 마치 거울에 다른 거울을 비추었을 때 무한히 반복되는 잔상과 같습니다. 소비자는 그 유행의 소멸점을 향해 끌려가게 되고, 점점 멀어지기만 합니다. 결국 아무리 따라가려 해도 잡을 수 없습니다.

세상에는 무수히 많은 종류의 옷이 있지만, 우리의 취향은 점점 비슷해집니다. 특정 스타일을 따르는 압박이 없는 세상에서라면 우리의 취향은 훨씬 다양할 것입니다. 사실, 옷을 신경 써서 입는다는 것은 그 자체로 아름다운 노력입니다. 그런데 옷을 아무리 멋지게 입어도, 왜 우리는 계속해서 우울해질까요? 왜 계속 만족하지 못하는 걸까요?

우리는 점점 더 눈치를 보게 되고, 심지어 거울 속의 자신에게도 눈치를 보게 됩니다. 원하는 것을 입지 못하고, 입어야 하는 것을 입습니다. 가을이 다가오면 유튜브나 인스타, 틱톡에서는 내년의 트렌드 정보를 알려주는 콘텐츠가 쏟아져 나옵니다. 스타일, 컬러, 아이템별로 꼭 사야 하는 것과 사지 않아도 되는 것을 분류하고 추천합니다. 그리고 이런 트렌드를 주도하는 인플루언서들이 등장합니다. 이들은 트렌드에 딱 들어맞는 옷으로 핫플레이스에서 사진을 찍어 인스타그램에 올리며 유행을 제안하고, 또 본인들도 그 파도에 휩쓸립니다.

대중들은 이런 인플루언서들을 보고 자신의 옷장에 있는 옷들에 점점 지칩니다. 미디어는 소비를 유발하기 위해 새로움을 계속해서 선보이고, 사람들은 자신이 가진 것이 더 이상 새롭지 않고 쓸모없다는 인식에 빠지면서 유행하는 상품을 향해 강한 욕구를 가지게 됩니다.

그러다 보니, 대부분의 사람은 옷을 수선하거나 특별히 관리하는 대신, 옷에 생기는 작은 결함만 생겨도 쉽게 옷을 버립니다. 이들은 옷의 수명을 연장하는 대신, 저렴하게 구매하여 대충 입고 버릴 수 있는 옷을 선택합니다.

옷을 구매하고 수선하는 비용을 들이는 것보다는 빠르게 새 옷을 구입하는 것이 경제적으로 더 이롭다는 논리입니다.

일부 사람들은 저렴한 옷에 대한 지출이 아깝다고 느끼며, 대부분의 옷이 금방 상하거나 한 철만 입기 어려운 옷이라고 지적합니다. 그런데도 싸고 유행을 따르는 옷을 선호하는 의견이 대다수입니다. 좋은 옷을 구매하더라도 반복해서 같은 옷을 입는 것이 부끄럽고 싫증 나게 느껴지며, 옷을 관리하는 것이 부담스럽습니다. 반면, 저렴한 옷은 버리면 되므로 편리하다는 생각을 가지고 있습니다. 그러면 또 입을 옷이 없는 거죠.

입을 옷이 없는 분들을 위한 대처법

앞서 우리는 옷이 어떻게 생산되고 폐기되는지에 대해 살펴보았습니다. 지금까지 구매한 옷이 많다면, 새로운 주인을 찾거나 다른 용도로 활용하는 방법을 차츰 고민해 봅시다. 손이 가지 않는 옷들에 대해서 다음과 같은 방법도 생각해 보세요. (의미 있는 기부, 중고로 판매하는 건 제외)

1. 어떤 스타일이 나에게 왜 어울리지 않는지 파악하기
2. 유행이 지나서 입기 어려우면, 나만의 스타일로 레이어링 가능할 지 고민해 보기. 아니면 운동할 때나, 놀러 갈 때와 같이 특별할 때 입을 수 있는지 고민하기
3. 사이즈가 안 맞아서라면, 그래도 입고 싶은 것인지 확인하기. 그리고 다시 그 옷을 입을 수 있는 체형으로 돌아갈 것인지에 대한 고민하기
4. 옷이 손상되었다면, 재활용 (리폼) 방법 생각하기. 다시 입지는 않아도 소품이나 패션 아이템으로서, 보온이나 방수 아이템으로 활용할 지 고민해보기
5. 어떻게든 갖고 있는 아이템들을 조합해 봐서 입을 수 있는지 고민하기
6. 어울릴 만한 친구가 생각나는지 확인하고, 나눠주기 (혹은 외부 무료 나눔 이벤트)
7. 입지는 않아도 소장하고 싶다면 별도로 상자에 보관하기

넘치는 의류 쓰레기

현재 우리는 매년 대략 800억 벌의 의류를 구매하고 있습니다. 2000년부터 2014년까지 패스트 패션의 등장으로 의류 제작량은 2배 이상 증가했고, 2000년에 비해 의류 구매량은 평균적으로 60% 상승했습니다. 하지만 가정에서 의류에 대한 지출 비율은 줄어들었습니다. 이는 임금과 물가가 계속 상승하는 반면, 옷의 가격은 오히려 감소했기 때문입니다. 저렴한 가격은 소비를 촉진했고, 현재 생산되는 의류 중 최대 40%는 할인된 가격으로 판매됩니다. 일부는 판매되지 않고 폐기되기도 합니다.

패스트 패션의 출현으로 패션 산업이 크게 성장하고 많은 일자리를 창출했지만, 빠른 성장에만 초점을 맞춰 소비를 촉진하고 그에 따른 문제를 만들었습니다. 이 중 가장 큰 문제는 의류 쓰레기입니다. 저렴하게 제작되고 쉽게 폐기되는 패스트 패션의 의류 쓰레기는 지구의 큰 문제가 되고 있습니다. 패스트 패션의 옷은 판매된 후 1년 이내에 약 50%가 매립지나 소각장으로 가게 됩니다. 그러나 이는 패스트 패션 브랜드만의 문제가 아니라는 것을 명심해야 합니다.

2018년, 버버리(Burberry)가 판매되지 않은 2,860만 파운드(약 415억원) 상당의 재고를 소각한 사실이 알려졌습니다. 이 사실이 알려지자, 버버리는 재고 소각을 중단하겠다고 선언했지만, 여전히 많은 고급 브랜드가 재고를 소각하는 방식을 선택하고 있습니다. 브랜드 가치를 유지하기 위해 싸게 판매하기보다 소각하는 것이 낫다고 판단하기 때문입니다.

옷을 버리는 대신 기부하여 재사용하거나 재활용하는 것이 좋겠다는 의견이 있지만, 대량으로 생산된 저렴한 의류 중에는 재사용할 가치가 없는 것이 많습니다. 그 결과 우리가 기부하는 옷 중 겨우 10%만 재사용되며, 처리가 어려운 엄청난 양의 옷이 저개발국으로 수출됩니다.

의류를 완전히 분해하여 새로운 섬유를 만드는 재활용 방법도 있지만, 그것은 쉽지 않습니다. 수집된 의류 중에 겨우 1% 미만이 재활용에 사용됩니다. 이는 옷에 사용된 여러 가지 재료와 소재를 분리하는 작업이 복잡하기 때문입니다.

옷을 만드는 것은 많은 물과 에너지가 필요하지만, 한 번 만들어진 옷을 자연에 돌려주기는 더욱 어렵습니다. 따라서 우리가 버린 옷이 모두 쉽게 재활용되어 다시 사용될 것이라는 생각은 환상에 가깝습니다.

'기부'라는 행위도 많이 하고 있지만, 단지 자신이 사용하지 않는 물건을 다른 사람에게 줌으로써 그 처리를 결국 다른 사람에게 맡기는 것이며, 이는 좋은 일이라고만 볼 수는 없습니다. 진정한 기부는 누군가가 필요로 하는 물건을 제공하는 것이니까요.

가장 좋은 방법은 '지속 가능한' 패션을 신중하게 구매해서 오랫동안 잘 사용하는 것입니다. 하지만 삶을 살아가다 보면 옷을 정리할 필요가 생기게 마련입니다. 이때, 안 입는 옷을 그냥 버리지 않고 적절한 용도를 찾아보는 것이 중요합니다. 또한, 물건을 구매하기 전에 그 물건을 처분하는 것이 절대 쉽지 않다는 것을 기억하고, 미리 그 물건의 마지막을 상상해 보는 것이 불필요한 소비를 줄이는 데 도움이 될 것입니다.

스마트한 '옷 입는 방법'

몇 년 전까지만 해도 저렴한 옷을 많이 구매하는 것이 비싼 품질 좋은 옷 한 벌을 사는 것보다 효율적이라고 생각했습니다. 한 번 입고 버리더라도 여러 벌을 소유하는 것이 더 경제적이라고 믿었던 것이죠. 그러나 자원의 낭비와 환경적 영향, 그리고 아름다움을 추구하는 노력의 측면에서 '한 번 입고 버릴 옷'을 쌓아두는 것은 전혀 도움이 되지 않습니다. 비싼 옷이 반드시 오래 입을 수 있고, 저렴한 옷은 오래 입을 수 없다는 것은 아닙니다. 그러나 대부분의 패스트 패션 기업은 소비 사이클을 줄이기 위해 쉽게 늘어나고 망가지는 옷을 제작하는 것이 현실입니다.

가지고 있는 옷을 최대한 오래 입는 것이 가장 친환경적입니다. 제로 웨이스트(Zero waste) 제품을 찾거나 업사이클링(Up-cycling) 브랜드를 구매하는 것보다, 이미 가지고 있는 옷과 아이템을 계속해서 활용하는 것이 가장 좋습니다.

그러므로, 현재 우리의 의복 관리 습관에서 옷에 대한 체계적인 관리가 중요합니다. 우리는 모든 종류의 옷을 부주의하게 세탁해서는 안 됩니다. 세탁기와 건조기에 아무렇게나 돌리면 옷이 금방 늘어나거나 보풀이 생겨 입기 어려워집니다. 원래 약하게 제작된 옷이라도 한번 구입하고 옷장에 보관하게 되면, 적어도 옷의 내부에 있는 '취급 방법' 라벨을 주의 깊게

살피고 소재에 맞는 세심한 관리가 필요합니다.

취급 방법 라벨에는 섬유의 구성 비율, 제조국, 세탁기 사용 시 주의 사항, 적합한 세탁 온도 등을 지시하는 세탁 표시 기호가 포함되어 있습니다. 원단의 이름까지 상세하게 표기된 경우도 있지만, 모든 소재를 완벽하게 이해하고 있을 필요는 없습니다. 세탁이 필요할 때마다 어떤 성분으로 만들어진 옷인지 확인하고, 그때마다 해당 옷감의 세탁 방법을 검색해서 참고하면 됩니다. 가진 옷의 성분에 따라 세탁 방법이 크게 달라질 수 있으므로, 입고 있는 옷의 성분을 잘 파악하고 소재에 맞게 관리하면 옷을 훨씬 길게 입을 수 있습니다.

계절 변화로 인해 장시간 보관해야 하는 옷의 경우, 특별히 세심한 세탁과 보관이 필요합니다. 옷이 깨끗해 보여도 제대로 세탁하지 않고 그대로 옷장에 보관하면, 보이지 않던 땀이나 각질, 미세한 얼룩 등의 오염물질이 산화되어 옷의 색상이 변하거나 옷감이 손상될 수 있습니다. 그래서 계절이 바뀌어서 옷을 장기간 보관해야 할 때는 각각의 원단에 맞게 세탁한 후에 보관하는 것이 중요합니다. 또한, 통풍이 잘되지 않아 옷에 곰팡이가 생길 수 있으므로, 비닐에 담지 않고 보관하는 것이 필수입니다.

이제 제대로 옷을 입어 봅시다

앞서 말씀드렸듯이, 옷을 가장 잘 입는 방법은 '지속 가능한 패션'을 잘 골라서 오랫동안 잘 입는 것입니다. 내가 지금 가지고 있는 아이템에 최대한 맞출 수 있고, 필수적인 아이템이라고 최종적인 판단이 되는 옷과 패션 아이템을 이용하는 것이 좋습니다. 이 세상에 만들어져 나온 물건은 언젠가는 반드시 쓰레기가 됩니다. 그렇기에 폐기되기까지의 여정을 최대한 늘리는 게 중요하겠죠.

영어에서는 'Sunday best'라는 표현이 있습니다. 이는 '자신이 소유한 가장 멋진 옷'을 의미하는데, 일요일에 교회를 방문하는 신도들이 가장 화려한 복장을 하곤 했다는 사실에서 유래된 말입니다. 현재 유행하는 어떤 옷보다도 나만이 가장 좋아하는 옷을 선택하는 능력, 나 자신에게 집중하는 시간이 더욱 필요합니다. 나의 'Sunday best'는 무엇인가요? 딱히 생각해 본 적 없다면 이제부터 만들어봅시다.

다음은, 우리가 입고 있는 옷과 필요한 옷을 구분하고 잘 찾아내기 위해 패션 아이템의 종류나 부위 카테고리별로 명칭과 간략한 특징에 대해 알려드리도록 하겠습니다.

내가 가지고 있는 아이템이,
유명인이 입고 나온 옷이
각각 어떤 이름인지 정확하게
알고 계신가요?

알아두면 좋을 패션 명칭,
함께 살펴봅시다.

패션 아이템 사전

자켓 (Jackets)

길이에 따른 명칭

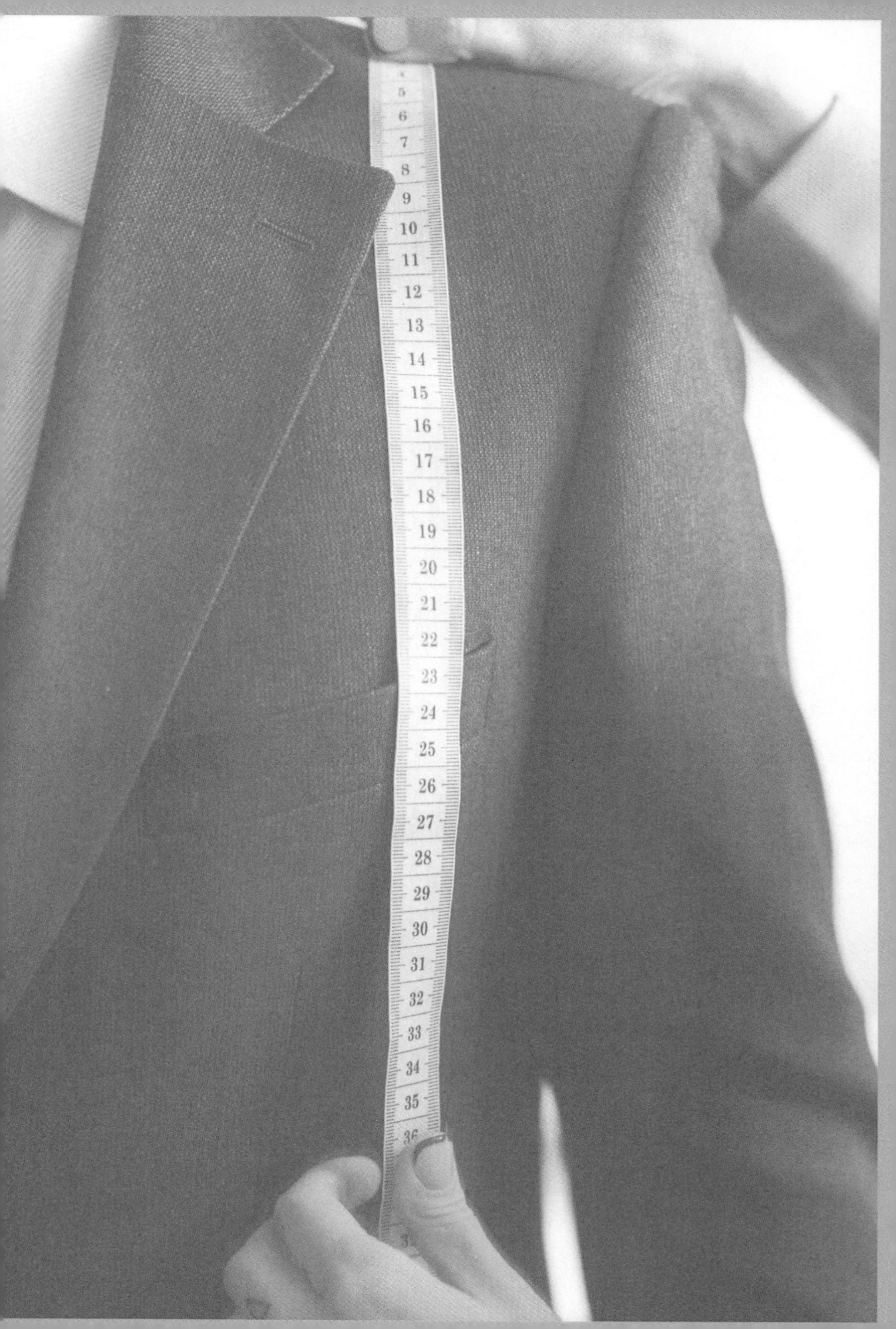
5 6 7 8 9 10 11 12 13 14 15 16 17 18 19 20 21 22 23 24 25 26 27 28 29 30 31 32 33 34 35

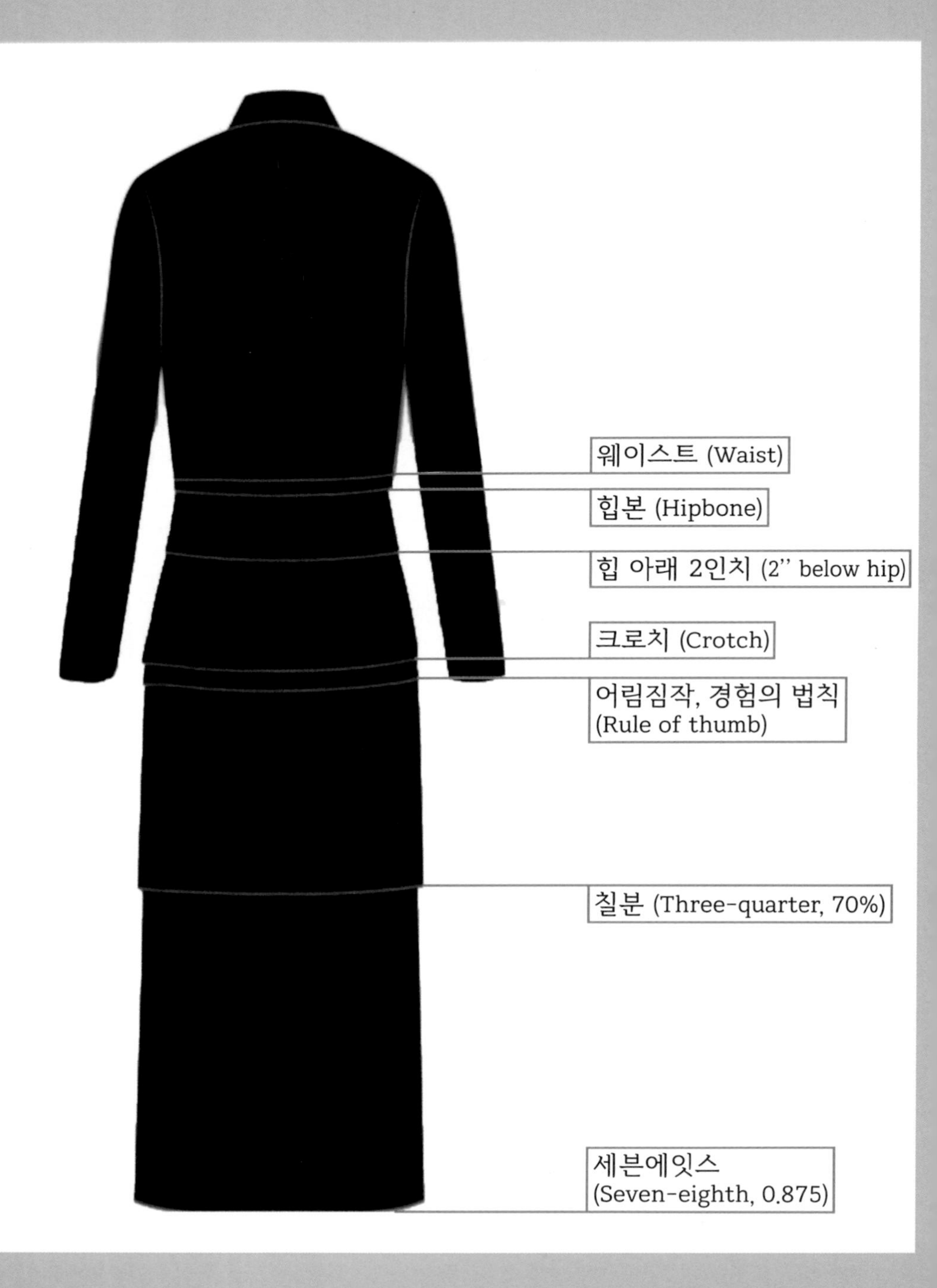
웨이스트 (Waist)
힙본 (Hipbone)
힙 아래 2인치 (2'' below hip)
크로치 (Crotch)
어림짐작, 경험의 법칙
(Rule of thumb)
칠분 (Three-quarter, 70%)
세븐에잇스
(Seven-eighth, 0.875)

1. *웨이스트 (Waist)*

: 목부터 밑단 중앙까지 46/48cm (18/19인치)

2. *힙본 (Hipbone)*

: 목부터 밑단 중앙까지 48/50cm (19/20인치)

3. *힙 아래 2인치 (2'' below hip)*

: 목부터 밑단 중앙까지 58/60cm (23/24인치)

4. *크로치 (Crotch)*

: 목부터 밑단 중앙까지 68.5cm (27인치)

5. *어림짐작, 경험의 법칙 (Rule of thumb)*

: 목부터 밑단 중앙까지 71/73cm (28/29인치)

6. *칠분 (Three-quarter, 70%)*

: 목부터 밑단 중앙까지 73.5cm (29인치)

7. *세븐에잇스 (Seven-eighth, 0.875)*

: 목부터 밑단 중앙까지 86cm (34인치)

바지 (Pants)
길이에 따른 명칭

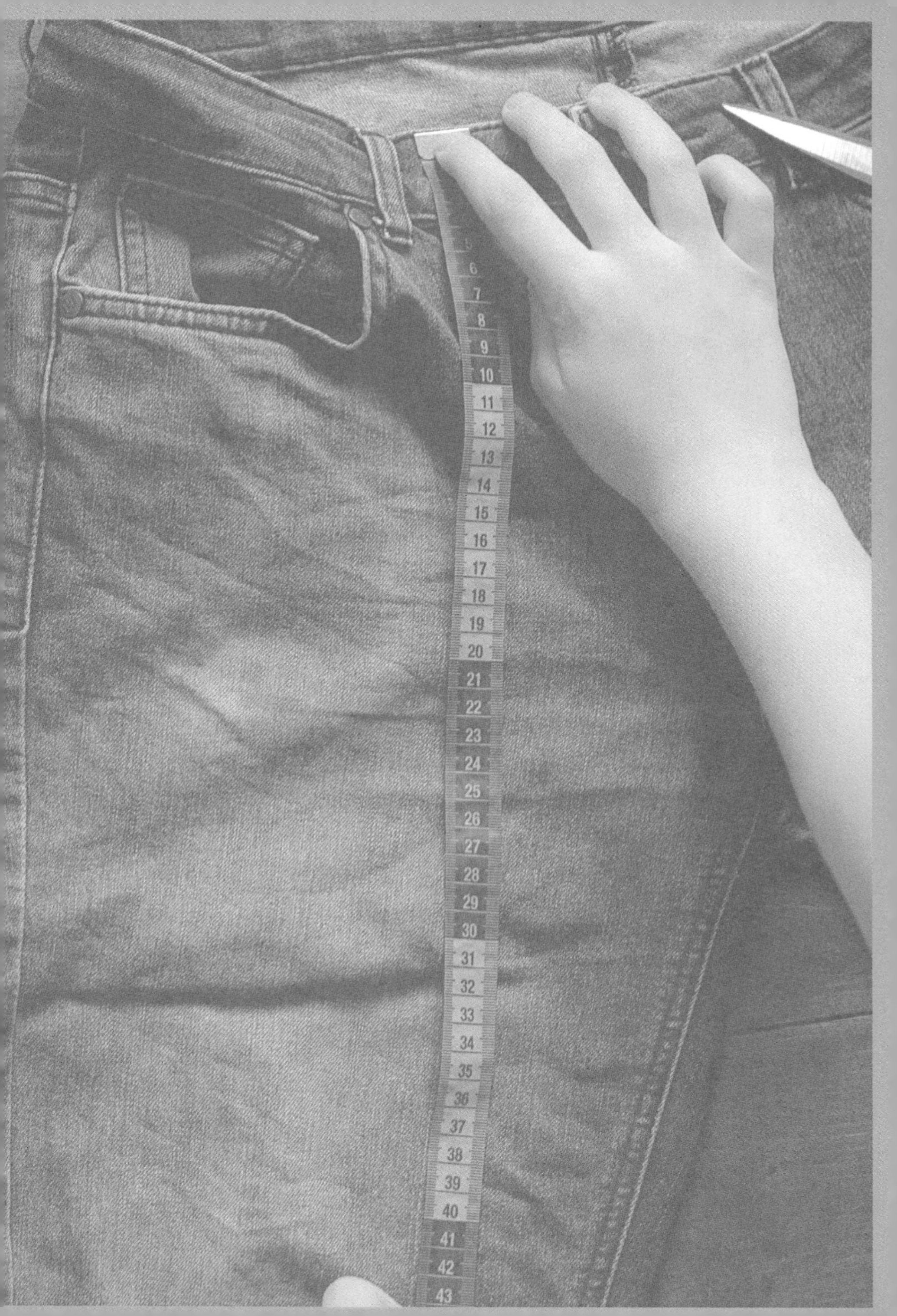
6
7
8
9
10
11
12
13
14
15
16
17
18
19
20
21
22
23
24
25
26
27
28
29
30
31
32
33
34
35
36
37
38
39
40
41
42
43

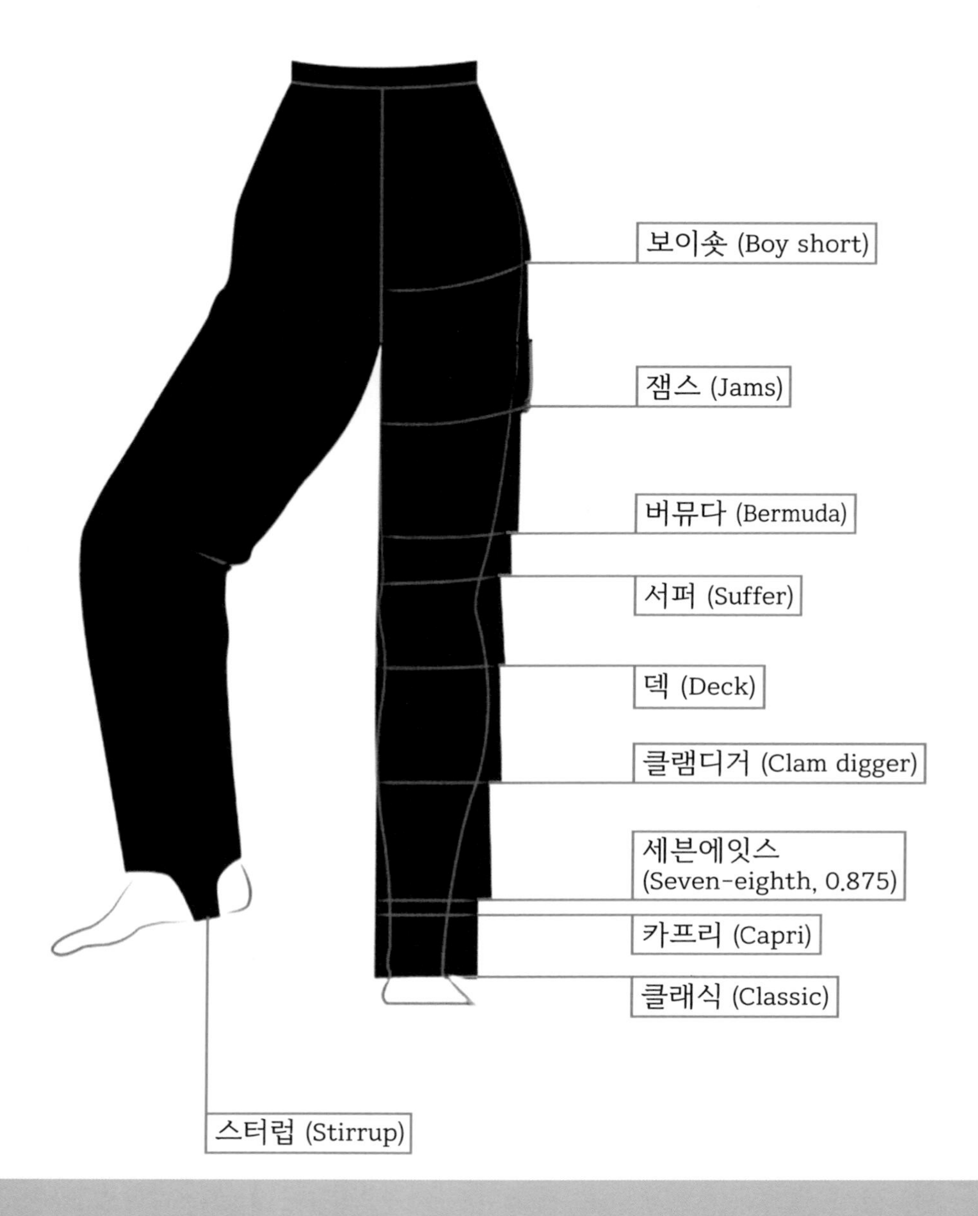
보이숏 (Boy short)
잼스 (Jams)
버뮤다 (Bermuda)
서퍼 (Suffer)
덱 (Deck)
클램디거 (Clam digger)
세븐에잇스
(Seven-eighth, 0.875)
카프리 (Capri)
클래식 (Classic)
스터럽 (Stirrup)

1. *보이숏 (Boy short)* : 정사각형 형태로 가랑이 아래 2.5~3.5cm 밑단에 있음. 숏팬츠, 핫팬츠라고도 함

2. *잼스 (Jams)* : 풀-컷, 탄성 있는 허리, 무릎 길이의 바지

3. *버뮤다 (Bermuda)* : 짧은 무릎 길이 바지. 거의 핏하게 맞는 형태.

4. *서퍼 (Surfer)* : 무릎에 끝나는 타이트한 핏의 바지

5. *덱 (Deck)* : 무릎 바로 아래에 밑단이 있는 바지. 스트레이트-컷 바지로, '페달 푸셔' 라고도 불림

6. *클램디거 (Clam digger)* : 품이 넉넉한 종아리 길이의 바지

7. *세븐에잇스 (Seven-eighth, 0.875)* : 종아리 바로 아래에 있는 모든 스타일의 바지

8. *카프리 (Capri)* : 발목 위로 몇cm가 끝나는 슬림한 다리 형태의 바지

9. *클래식 (Classic)* : 전체 길이의 바지. 일반적으로 중앙 전면에 지퍼가 있는 형태. 트라우저 라고도 함

10. *스터럽 (Stirrup)* : 발 아래까지 확장된 좁은 바지. 바지의 끝이 일부 늘어져서 발을 끼울 수 있음

소매 (Sleeve)
길이에 따른 명칭

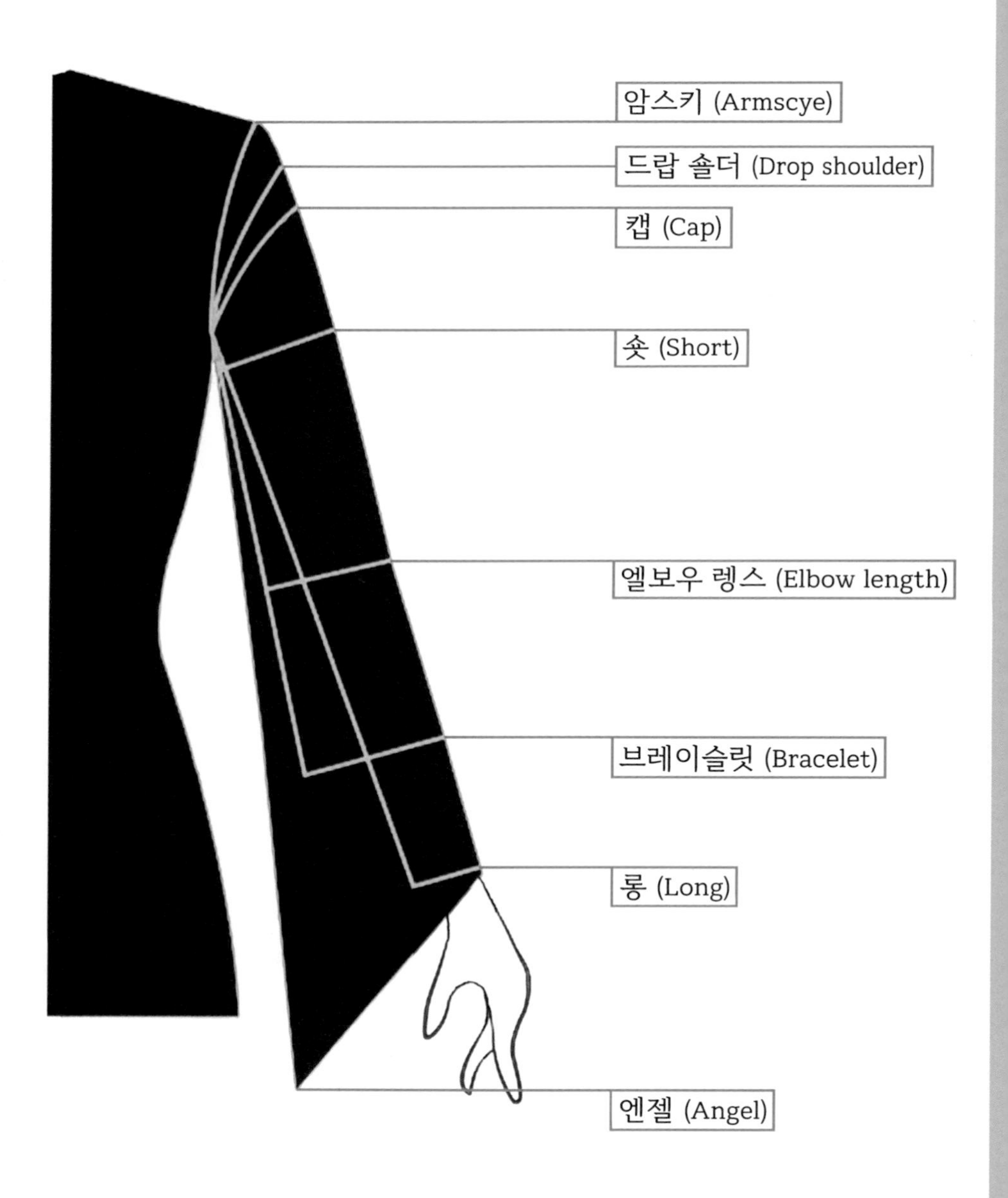
암스키 (Armscye)
드랍 숄더 (Drop shoulder)
캡 (Cap)
숏 (Short)
엘보우 렝스 (Elbow length)
브레이슬릿 (Bracelet)
롱 (Long)
엔젤 (Angel)

1. *암스키 (Armscye)* : 암홀(Armhole) 이라고도 불리며, 소매가 없는 것을 가리킴
2. *드랍 숄더 (Drop shoulder)* : 소매가 어깨보다 넓게 확장되도록 암홀에 부착되어 있음
3. *캡 (Cap)* : 팔의 상단을 덮기 위해 의복의 앞뒤로 확장된 형태
4. *숏 (Short)* : 팔꿈치와 겨드랑이 사이의 거리의 절반 정도 끝나는 길이
5. *엘보우 렝스 (Elbow length)* : 팔꿈치에 다다르는 모든 스타일의 소매
6. *브레이슬릿 (Bracelet)* : 팔찌를 보여주는 3/4 길이의 커프스 슬리브
7. *롱 (Long)* : 손목까지 테이퍼진 긴 소매로, 밀어 올려 제자리에 고정할 수 있음
8. *엔젤 (Angel)* : 길고 흐르는 형태의 슬리브. 팔보다 더 길 수 있음

스커트 (Skirt)
길이에 따른 명칭

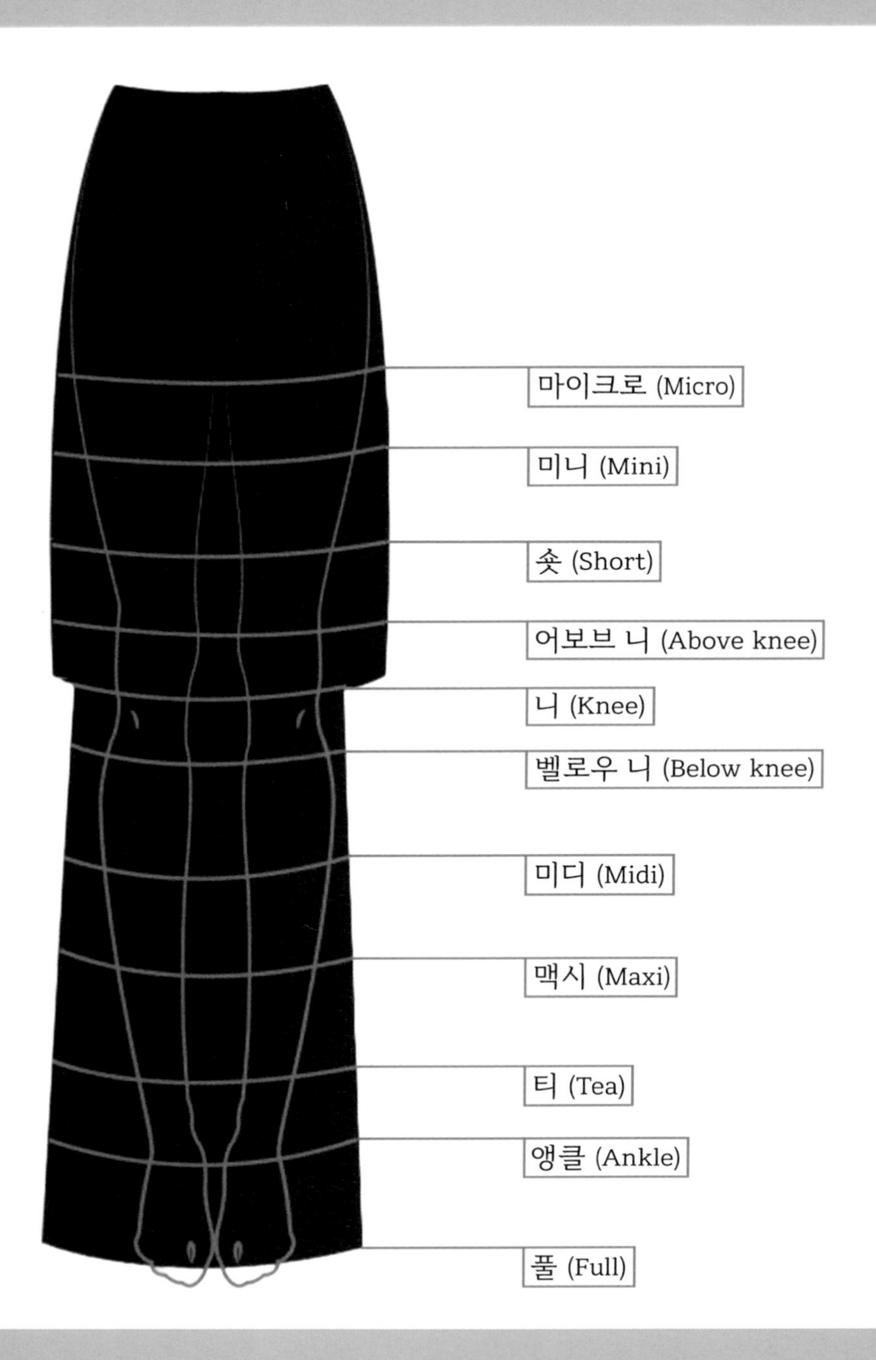
마이크로 (Micro)
미니 (Mini)
숏 (Short)
어보브 니 (Above knee)
니 (Knee)
벨로우 니 (Below knee)
미디 (Midi)
맥시 (Maxi)
티 (Tea)
앵클 (Ankle)
풀 (Full)

1. *마이크로 (Micro)* : 아주 짧은 길이로 35cm 정도 이하

2. *미니 (Mini)* : 짧은 스커트. 허리부터 밑단까지 약 38cm. 밑단은 허벅지 중간 정도 길이

3. *숏 (Short)* : 허벅지 중간 밑으로 내려가는 스커트. 44cm 정도 됨

4. *어보브 니 (Above knee)* : Mid-knee보다 3~5cm 짧음. 길이는 허리에서 밑단까지 53~56cm

5. *니 (Knee)* : 허리부터 밑단, 무릎 중간 길이까지 약 58cm의 스커트

6. *벨로우 니 (Below knee)* : 스트릿 혹은 칵테일 이라고도 불리며, 스커트 밑단선 무릎 밑 3~5cm 정도

7. *미디 (Midi)* : 길이는 허리부터 밑단까지 약 68cm이며, 밑단은 무릎과 발목의 중간에 위치함

8. *맥시 (Maxi)* : 길이는 허리부터 밑단까지 약 78cm

9. *티 (Tea)* : 길이는 허리부터 밑단까지 약 83cm

10. *앵클 (Ankle)* : 길이는 허리부터 밑단까지 약 102cm. 이브닝 길이 혹은 풀-렝스(full-length) 라고도 함

11. *풀 (Full)* : 길이는 허리부터 밑단까지 약 105cm. 옷이 바닥에 닿을 정도

신발 (Flat)

글래디에이터
(Gladyators)

가죽 따위로 바닥을 대고 이를 가느다란 끈이나 스트랩 등으로 발등에 매어 신는 신발. 로마의 검투사가 신었을 법한 디자인

더비
(Derby)

어퍼라고 부르는 발등 쪽에 덧댐이 있는 스타일. 발등 부분의 높낮이를 끈으로 조절할 수 있는 신발. 군용 부츠에서 유래된 스타일

도르세이
(D'orsays)

등받이와 신발의 측면이 잘려져 발의 아치와 부분적으로 발가락이 드러나는 슈즈. 프랑스 도르세이 백작이 만들어서 이름이 붙여짐

독사이드
(Docksides)

모카신과 유사한 레이스 보트 슈즈. 일반적으로 마킹이 없는 고무 밑창이 있는 캔버스 혹은 가죽으로 되어 있음

러닝 스니커즈
(Running sneakers)

런닝화 라고도 불리며, 달리기를 위해 디자인, 기능적으로 특화된 스니커즈

로퍼
(Loafers)

모카신과 비슷하지만 굽이 넓고 플랫한 낮은 가죽 스텝-인 슈즈

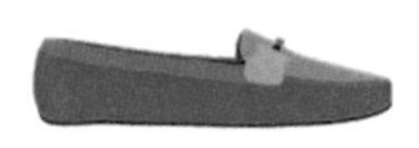

모카신
(Mocassins)

한 장의 가죽으로 만들어지고, 윗 부분이 같이 꿰매어진 부드러운 신발

몽크
(Monks)

낮은 신발이고, 발등 위로 지나는 스트랩으로 발을 고정. 일반적으로 측면에 버클이 달려 있음

뮬
(Mule)

뒤쪽이 없고, 종종 발가락이 닫혀 있는 형태. 높이는 다양함

발레리나
(Ballerina)

발레 슬리퍼에서 영감을 받은 제품. 플랫한 굽, 닫힌 발가락 부분, 일반적으로 Low-cut되어 있어 발등이 많이 보임

보통 가죽에 무늬가 새겨져 있는 튼튼한 구두

브로그
(Brogues)

나무, 가죽, 비닐 따위로 바닥을 만들고 이를 가느다란 끈이나 스트랩으로 발등에 매어 신게 만든 신발

샌달
(Sandals)

캔버스 슈즈와 같으나, 밑창이 고무로 된 것. 발자국 소리가 나지 않는다 하여 '살금살금 걷는 사람'이라는 뜻으로 스니커 라고도 함

스니커즈
(Sneakers)

슬리퍼라고도 함. 미끄러진다는 뜻에서 이름 붙여짐

슬라이더
(Sliders)

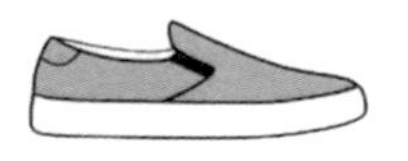

단추, 끈, 지퍼 등이 없어 쉽고 빠르게 착용 가능한 신발

슬립온
(Slip-ons)

에스파드릴라
(Esparilla)

전통적으로 황마 밑창이 있는 캔버스로 만든 플랫하고 발가락 부분과 뒷부분이 막힌 신발

옥스포드
(Oxfords)

클래식한 영국식의 폐쇄형 레이스업 드레스 슈즈. 종종 발가락 캡이 있거나 천공으로 장식되어 있음

웨지 스니커즈
(Wedge sneakers)

쐐기형의 굽이나 힐이 붙은 스니커즈

윙클 피커
(Winkle picker)

앞부분이 날카롭고 긴 뾰족한 신발. 50년대 영국의 로큰롤 팬 사이에서 인기를 얻음

젤리
(Jellies)

밝은 색상의 신축성 고무로 만든 신발

캔버스
(Canvas)

등 부분을 캔버스 천으로 만든 운동화의 총칭

클록
(Clog)

특정 부분이 나무로 만들어진 신발. 주로 밑창에서 굽까지 이어지는 부분

트레이너
(Trainers)

바닥 접지를 위해 러닝 스니커즈보다 좀 더 평평한 것으로, 훈련을 위한 신발

플립플랍
(Flip Flops)

일명 '쪼리'라고도 불리며, 엄지발가락과 다른 발가락 사이에 밴드가 있는 신발. 대부분 고무로 만들어짐

신발 (Boots)

니 하이 부츠
(Knee high boots)

무릎 높이 정도까지 올라오는 부츠. 보통 무릎 바로 아래까지 높이로 나오는 형태

데저트
(Desert)

발목이 높고, 낮은 굽, 발끝부분은 둥근 형태. 두 개의 작은 구멍으로 끈을 묶음. 보통 가죽이나 스웨이드로 제작됨

라이더
(Rider)

승마용으로, 안장의 가죽이 라이더의 다리를 누르는 것을 방지할 수 있을 정도로 높이가 높음. 발 보호용으로 앞부분이 튼튼함

레이스업
(Lace-up)

레이스업은 부츠의 끈을 뜻함. 끈이 얼기설기 많이 엮인 디자인의 부츠 형태

레인 부츠
(Rain boots)

방수용 소재로 만들어진 부츠. 비가 올 때 비에 젖지 않도록 디자인됨

리타 부츠
(Lita boots)

2인치의 플랫폼과 5인치 정도의 힐이 있는 두툼한 레이스업 앵클 부츠. <The Runaways>의 Lita Ford의 이름을 따 만들어짐

바이커
(Biker)

오토바이 라이딩을 위해 설계된 독특한 형식의 부츠. 모터에 신발끈이 들어가는 것을 방지하기 위해 하네스로만 디테일이 이루어짐

삭스 부츠
(Socks boots)

발목 부분이 양말처럼 슬림하게 핏되는 부츠. 주로 스판 재질로 제작됨

시어링
(Shearling)

시어링 양가죽으로 제작된 기능성이 뛰어나고 고급스러우며 품질이 우수한 부츠. 시어링은 양이나 양가죽을 무두질한 후 남은 양모로 입힌 것

스노우
(Snow)

방수 보호 기능, 발목 지지력과 뛰어난 그립력을 제공하여 얼음에 넘어지는 것을 방지함. 습한 조건에 매우 적합

슬라우치
(Slouch)

주름이 들어가거나 구겨진 형태로 편안한 느낌의 디자인

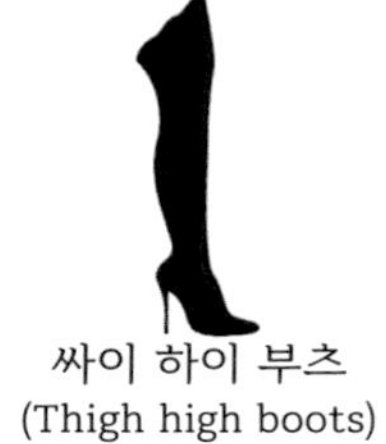
싸이 하이 부츠
(Thigh high boots)

단순히 허벅지 부츠라고도 불리는 '허벅지 높이 부츠'. 무릎 위에서 적어도 허벅지 중간까지 연장되는 부츠

밀리터리
(Military)

육군 군복의 디자인에서 영감을 얻은 부츠 스타일. 컴뱃 부츠와 유사하지만 보통 베이지 계열 색상이 많음

앵클 부츠
(Ankle boots)

발목까지 가려지는 정도의 부츠. 방한용이나 비가 올 때 신는 레인부츠의 디테일에 이용되기도 함

오버 더 니
(Over the knee)

무릎을 살짝 덮을 정도의 높은 부츠

웨지 부티스
(Wedge booties)

발뒤꿈치에서 발바닥까지 신발이 분리되지 않고 쐐기형으로 굽이 있는 형태의 부츠. 웨지 힐과 유사하지만 부츠 형태

웰링턴
(Wellington)

고무로 된 부츠, 레인 부츠와 비슷하며 본래 군용 사냥 부츠로 쓰임. 영국의 웰링턴 장군의 이름에서 유래함

처카
(Chukka)

복사뼈가 약간 가려지는 높이에 2쌍 혹은 3쌍의 구멍을 통해 끈으로 묶는 신발. 원래 폴로 경기에서 승마화로 신었던 신발임

청키
(Chunky)

부피가 큰 밑창이 있는 부츠. 튼튼한 신발이 필요한 산업 분야에서 일하는 근로자나 군인에게 쓰인 스타일

첼시
(Chelsea)

승마용 부츠의 일종으로 발목이 높고, 측면에 신축성 있는 밴드가 있어 발에 딱 맞음. 끈이나 지퍼는 없는 형태

카우보이
(Cowboy)

높은 아치, 높은 쿠반 힐(Cuban heel), 그리고 대개 화려한 스티치로 만든 부츠

커프
(Cuff)

발목 주변에 가죽 따위를 덧댄 형태로 긴 부츠를 절반 뒤집어 접은 듯한 형태

컨트리
(Country)

영국에서 귀족들이 사냥, 낚시 등 외부활동 시 신던 부츠 형태. 앞코와 부츠 발목까지 올라오는 부분까지 펀칭문양이 들어가는 등 화려한 것이 특징

컴뱃
(Combat)

미국의 제2차 세계 대전 중 생산한 디자인. 엮어 올린 구두의 탑에 커프를 붙인 전투용 반장화 형태

프라이
(Frye)

굽이 약 5cm인 부츠, 발목 주위에 하네스 벨트가 있고, 측면에 손잡이가 있는 종아리 중간 샤프트 형태

플랫폼
(Platform)

보통 3~10cm 정도의 두꺼운 발판이 있는 부츠

하이킹
(Hiking)

등산 등의 하이킹용 부츠

신발 (Heel)

도르세이
(D'ordays)

등받이와 신발의 측면이 잘려져 발의 아치와 부분적으로 발가락이 드러나는 슈즈. 프랑스 도르세이 백작이 만들어서 이름이 붙여짐

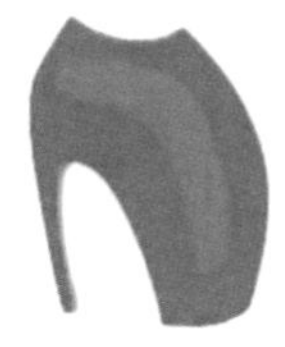

랍스터 클로우
(Lobster claw)

랍스터 집게발 형태의 힐. 2010SS에서 알렉산더 맥퀸이 선보인 형태

루비 슬리퍼
(Ruby slipper)

오즈의 마법사에서 도로시가 착용한 스타일. 신데렐라의 크리스탈 슈즈와 모양이 같음

메리 제인
(Marry Janes)

발등을 가로지르는 한 개 이상의 끈이 있는 닫힌, 낮은 컷팅이 된 신발

뮬
(Mules)

일반 구두와 달리 슬리퍼처럼 뒤가 트인 형태. 보통은 앞이 막혀 있고 뒤가 트인 신발임

블록
(Block)

투박한 형태의 일자형 하이힐

스칼핀
(Scarpin)

굽이 아주 얇은 힐로, 클래식한 가벼운 신발

스틸레토
(Stiletto)

앞코가 뾰족한 형태. 발이 가늘고 길게 보이며 굽이 매우 얇음

스풀
(Spool)

위쪽과 아래쪽은 넓고, 가운데는 좁은 굽으로 되어 있는 신발

슬링백
(Slingback)

뒤가 트여 있고, 발뒤꿈치나 발목 뒤를 가로지르는 스트랩이 있음

앵클 스트랩
(Ankle strap)

발목을 완전히 감싸는 스트랩이 있는 신발

에스파드릴 샌달
(Espadrille sandals)

전통적으로 황마 밑창이 있는 캔버스로 만든 플랫하고 발가락 부분과 뒷부분이 막힌 샌달

오픈 토
(Open toes)

신발의 앞코 부분이 트여진 스타일

웨지 샌달
(Wedge sandals)

발의 아치 부분과 발뒤꿈치 부분 아래 전체 공간을 차지하는 형태

웨지
(Wedges)

밑창과 굽이 연결된 형태의 여성용 구두. 쐐기형의 굽이나 힐이 붙음

청키
(Chunky)

굵고 두꺼운 직육면체 모양의 구두굽과 밑창으로 디자인된 힐

코트 슈즈
(Court shoes)

끈이나 고리가 없고 발등이 깊이 파여 있는 여성용 구두. 궁정화 라고도 불림

콘 힐
(Cone heel)

윗부분은 넓고 아래로 내려오면서 점점 좁아지는 모양의 굽. 보통 6~8cm 정도의 높이가 많음. 아이스크림 콘 형태의 힐

클록
(Clogs)

특정 부분이 나무로 만들어진 신발. 주로 밑창에서 굽까지 이어지는 부분

키튼 힐
(Kitten Heels)

짧고 가느다란 힐, 보통 3.5cm에서 4.75cm 높이로 약간의 커브가 있음

티 스트랩
(T-strap)

착용자의 발목을 향해 발 위로 수직으로 이어지는 끈이 있는 신발

펌프스
(Pumps)

끈이나 고리가 없고 발등이 깊이 파져 있고, 굽이 있는 우아한 여성 신발을 정의함. 가장 많이 신는 구두

플랫폼
(Platforms)

높이가 최소 4인치인 두꺼운 밑창이 있는 펌프스 슈즈

핀 힐
(Pin heels)

하이힐 중에서도 극히 가는 힐. 뒤축이 매우 높음

핍 토
(Peep toes)

엄지발가락이 부분적으로 노출되도록 팁이 잘려진 형태

혼 힐
(Horn heels)

굽이 뿔 모양이거나 뿔 모양으로 디자인된 하이힐

바지 (Trousers / Pants

버뮤다
(Bermuda)

짧은 바지의 한 종류로, 현재 남녀 모두가 널리 착용함. 밑단은 무릎에서 1인치 정도 위에 커프가 있기도 하고 없기도 함

부쉬 팬츠
(Bush pants)

편안한 바지로 사냥할 때 주로 쓰임. 매우 큰 주머니와 스트레이트 바지 핏을 가짐

부츠컷
(Boot-cut)

허벅지는 타이트하고, 다리 아랫 부분이 살짝 플레어 형태로 벌어짐

세일러
(Sailor)

해군 남성들이 입는 작업복의 일부로 시작된 스타일. 아랫 부분은 넉넉하고 편안함. 전면에는 버튼이 있는 플랩이 있음

스웻
(Sweat)

스웻 팬츠, 요가 팬츠라고도 불리는 평상복 형태. 일반적으로 운동할 때 입는 것으로 매우 편안함

스코트
(Skort)

치마 바지라고도 불림. 앞쪽을 덮는 스커트와 같은 직물 패널이 있는 반바지. 치마 속에 반바지가 있는 형태

스키니
(Skinny)

다리 부분이 매우 타이트한 바지. 스토브 파이프, 타이트 팬츠, 시가렛 팬츠, 펜슬 팬츠, 스키니라고 불림

스터럽
(Stirrup)

발 아래까지 확장된 좁은 바지. 바지의 끝이 일부 늘어져서 발을 끼울 수 있음

스트레이트
(Straight)

다리가 곧게 뻗은 심플한 바지. 시가렛 팬츠 혹은 펜슬 팬츠라고도 불림

와이드 레그
(Wide leg)

넓고 플레어가 있으며 특히 바닥 부분이 큰 형태

점프슈트
(Jumpsuit)

원래 낙하산 타는 사람이 사용하는 실용적인 원피스 의류임. 다리 부분이 달린 원피스 의류를 가리키는 일반적인 용어로 사용함

조드퍼스
(Jodhpurs)

승마용으로 입는 전신 바지로, 무릎 아래에 밀착되고 다리 안쪽에 패치가 강화되어 있음

진
(5-Pocket jeans)

전 세계적으로 매우 인기 있는 캐주얼 드레스 형태. 청바지의 원래 모델이 이렇게 5개의 주머니와 이중 스티치가 있음

카고
(Cargo)

원래 군사적 목적을 따라 전투용 바지로 불림. 거친 야외 활동을 위해 설계된 헐겁게 잘린 바지로, 하나 이상의 카고 포켓이 있음

카펜터
(Carpenter)

전체적으로, 턱걸이 멜빵바지로, 보통 작업할 때 보호복으로 사용되는 형태

팔라초
(Palazzo)

긴 여성용 바지로 허리에서부터 헐렁하고 극도로 넓은 다리 형태로 제작됨. 일반적으로 더운 날씨에 통기성이 좋은 직물로 만들어짐

페그드
(Pegged)

허리과 허벅지 부분을 꽉 채우고, 커프로 가늘어지거나 발목으로 모이는 형태. 1950년대와 1980년대에 매우 인기 있던 스타일

플레어
(Flare)

벨-바텀이라고 알려진 바지. 밑단이 매우 넓으며 1970년대에 유행한 스타일

하렘
(Harem)

일반적으로 발목에 걸리는 헐렁하고 긴 바지에 적용되는 용어. 일찍부터 이 스타일은 하렘 스커트라고도 불림

핫팬츠
(Hot pants)

1970년대 초에 처음 대중화된, 여성과 소녀를 위한 매우 짧고 일반적으로 딱 맞는 반바지

스커트 (Skirts)

A 라인
(A-line)

엉덩이와 허벅지에 살짝 닿아 밑단이 넓어지고 위쪽이 좁고 아래쪽이 약간 넓어져 ‘A’처럼 보이는 형태

고뎃
(Godet)

스커트에 덧대는 천 솔기에 삼각편대를 붙여 플레어 밑단 가장자리에 포만감을 더한 형태

나이프 플리티드
(Knife pleated)

한 방향을 향하는 하나 이상의 주름이 있는 스커트

드레이프
(Draped)

풍만한 느낌이 더해진 스커트로, 한쪽 면에 주름을 잡거나 모이거나 인체모형에 직접 천을 대고 마름질을 한 형태. 감싸는 형태는 ‘살롱스커트’라고도 함

랩
(Wrap)

허리와 다리 부분을 감쌀 수 있는 형태. 버튼이나 넥타이로 고정할 수 있음. 캐주얼 웨어로서 좋은 선택이 될 수 있음

러플
(Ruffled)

보통 곡선으로 보이는 착각을 일으키기 위해 여러 겹의 천으로 이루어진 치마

레이어드
(Layered)

여러 겹의 천으로 구성되어 있는 형태

머메이드
(Mermaid)

허리부터 무릎까지 핏해서 인어의 꼬리와 비슷한 디자인. 무릎에서 바닥까지 퍼지는 형태

미니
(Mini)

미니 스커트는 무릎 길이보다 짧음. 각선미를 뽐내기에 딱 알맞은 형태. 직장이나 매우 공식적인 회의에서는 부적절한 것으로 여겨짐

버블
(Bubble)

밑단 하단이 뒤로 젖혀지면서 거품 효과를 만들어내는 형태

서클
(Circle)

원형으로 제작된 형태. 드레스 힙에 아주 잘 어울리며, 보통 가벼운 원단으로 제작됨

아코디언
(Accordion)

주름이 좁은 스커트. 길쭉하게 솟은 부분이 눌려지거나 가장자리가 늘어나는 서클 모양의 스커트가 될 수 있음

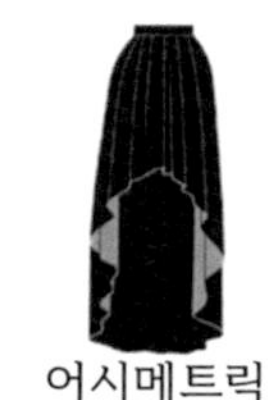
어시메트릭
(Asymmetrical)

비대칭 형태로, 다양한 모양으로 나와 여러 형태에 어울림. 이 안에서 밑단은 다양한 층위의 패턴으로 움직이며 곱슬곱슬함

집시
(Gypsy)

전신, 무릎 길이, 미니 등 다양한 길이가 있음. 일반적으로 밝은 색상의 패치워크로 제공됨

튜브
(Tube)

펜슬 스커트와 매우 비슷함. 신축성이 좋은 소재로 만들어졌으며 보통 무릎 바로 아래까지 도달한다는 점이 가장 큰 차이점임

튤립
(Tulip)

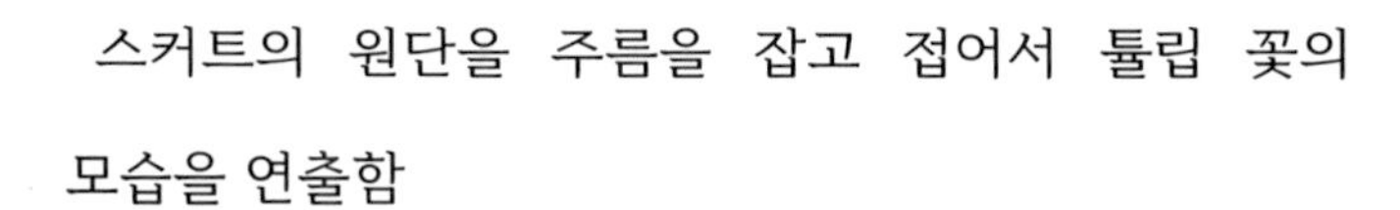

스커트의 원단을 주름을 잡고 접어서 튤립 꽃의 모습을 연출함

패널
(Paneled)

세로 솔기가 있는 스커트. 대부분의 디자인은 밑단 쪽으로 플레어가 있는 허리에 장착됨. 4개 이상의 삼각형 모양의 덧대는 천이 있을 수 있음

펜슬
(Pencil)

하체를 감싸는 형태. 허리부터 무릎 아래까지, 또는 종아리 중간까지 긴 형태. 일반적으로 신축성 소재로 제공됨

모자 (Hats)

뉴스보이
(Newsboy)

<베이커 보이 캡>, <제이 개츠비>라고도 알려진 모자. 둥글고 부피감이 있으며 탑 부분에 버튼이 있는 패널로 구성되어 있음

디어스토커
(Deerstalker)

일반적으로 농촌 지역에서 착용함. 둥근 옆면을 가진 6개의 삼각형 패널을 함께 꿰매어 만드는 형태. 셜록 홈즈 모자이기도 함

바이저
(Visor)

눈을 가리거나 보호하기 위해 캡 또는 탄성이 있는 머리띠가 전면에 돌출되어 있는 모자

버킷
(Bucket)

자외선 차단 기능을 제공하는 캐주얼 모자로 남녀 모두에 인기가 많음. <피셔맨> 이라고도 함

베레모
(Beret)

일반적으로 부드러운 울 소재로 만들어지는 둥근 형태의 모자

베이스볼
(Baseball)

둥근 크라운과 앞으로 튀어나온 뻣뻣한 봉우리가 있는 인기 캐주얼 모자. 캡의 앞면에는 일반적으로 스포츠 팀의 로고가 들어 있음

보울러
(Bowler)

미국에서는 <더비>라고도 함. 둥근 크라운이 달린 딱딱한 펠트 모자

보터
(Boater)

격식을 갖춘 여름 모자. 일반적으로 뻣뻣하고 평평한 크라운. 챙이 뻣뻣하며 일반적으로 크라운 주위에 단단하거나 줄무늬가 있는 그로스그레인 리본이 있음

비니
(Beanie)

<니트 캡>, <스컬리>, <스타킹 캡> 이라고도 불림. 겨울철 모자로 많이 쓰임

카우보이
(Cowboy)

북미 카우보이의 가장 중요한 복장으로 잘 알려진 스타일. 크라운이 높고 챙이 넓은 모자

칵테일
(Cocktail)

여성을 위한 작고 사치스러운 모자. 보통 이브닝 웨어의 구성 요소이며, 베일 뿐만 아니라 구슬, 보석, 또는 깃털 등으로 장식되는 경우가 많음

클로셰
(Cloche)

1920년대에 유행한 모자. 프랑스어로 "벨"을 뜻하는 클로셰

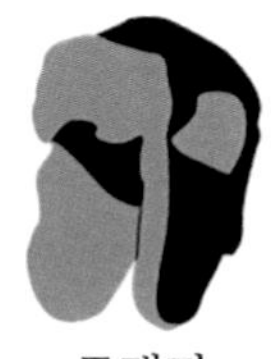

트래퍼
(Trapper)

안쪽에 털이 있고, 귀 플랩이 있어 보온성을 더하는 러시안 털모자

파나마
(Panama)

에콰도르에서 유래한 전통 챙 밀짚모자. 가벼운 색상, 가볍고 통기성이 좋으며 린넨이나 실크 소재와 같은 여름용 정장과 자주 착용함

패시네이터
(Fascinator)

사치스러운 헤드웨어. 깃털, 구슬, 꽃으로 장식된 머리띠, 빗 또는 작은 모자가 될 수 있음. 공식적인 자리에서 모자를 대체하는 방법임

페도라
(Fedora)

중절모를 인디아나존스나 갱스터와 연관시킬 수도 있겠지만, 이 부드러운 펠트 모자는 사실 많은 남성들 사이에서 인기가 있는 스타일임

필박스
(Pillbox)

챙이 없고, 크라운이 평평하고 곧고 꼿꼿한 작은 여성 모자. 이 모자의 아이콘은 '재클린 케네디'임

홈버그
(Homburg)

크라운 중앙을 따라 내려오는 하나의 움푹 들어간 곳인 일명 "주전자 컬" 모양의 뻣뻣한 챙, 바운드된 가장자리 장식이 특징인 포멀한 펠트 모자

가방 (Bags)

닥터
(Doctor)

더플
(Duffel)

돔 or 볼링
(Dome, Bowling)

드로우스트링
(Draw-string)

랩탑
(Laptop)

리스틀릿
(Wristlet)

마이크로
(Micro)

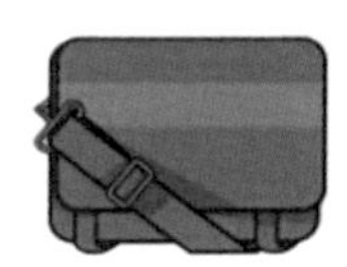

메신저
(Messenger)

미노디에르
(Minaudiere)

바게트
(Baguette)

박스
(Box)

배니티 케이스
(Vanity case)

배럴
(Barrel)

백팩
(Backpack)

백팩퍼스
(Backpack-purse)

버킷
(Bucket)

빈들
(Bindle)

사첼
(Satchel)

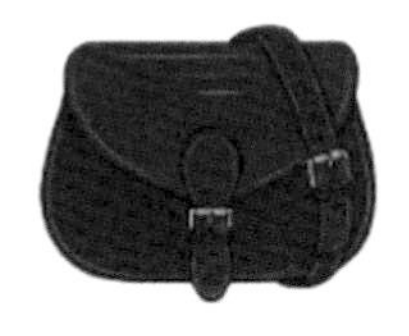

새들
(Saddle)

쇼퍼
(Shoppers)

슬링
(Sling)

엔벨롭 클러치
(Envelope Clutch)

위켄더
(Weekender)

이브닝
(Evening)

카메라
(Camera)

캔틴
(Canteen)

켈리
(Kelly)

퀼티드
(Quilted)

퀼티드-슬링
(Quilted-sling)

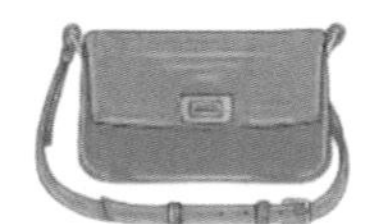
크로스바디
(Crossbody)

클러치
(Clutch)

키스락
(Kiss lock)

파우치
(Pouch)

패니백
(Fannybag)

토트
(Tote)

트라페제
(Trapeze)

폴드 오버
(Fold-over)

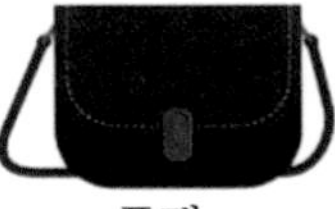
플랩
(Flap)

프레임
(Frame)

프린지
(Fringe)

호보
(Hobo)

자켓 / 코트
(Jackets / Coats)

네루
(Nehru)

노포크
(Norfolk)

다운
(Down)

더블 브레스티드
(Double-breasted)

더플
(Duffle)

데님진 자켓
(Denim jean)

디너
(Dinner)

라글란
(Raglan)

랩
(Wrap)

럼버
(Lumber)

로덴
(Loden)

매키노
(Mackinaw)

메스
(Mess)

바이커
(Biker)

발마칸
(Balmacaan)

베이스볼
(Baseball)

볼레로
(Bolero)

봄버
(Bomber)

블레이저
(Blazer)

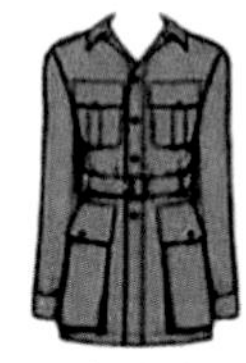
사파리
(Safari)

샤넬
(Chanel)

스모킹
(Smoking)

스트레이트
(Straight)

스트레이트 코트
(Straight-coat)

싱글 브레스티드
(Single-breasted)

어시메트릭
(Asymmetric)

오버코트/탑코트
(Overcoat/Topcoat)

오일스킨
(Oilskins)

웨스턴
(Western)

중세 왕실 자켓
(Band)

카디건
(Cardigan)

케이프
(Cape)

코르셋 뷔스티에
(Corset Bustier)

크롭드 샤넬
(Cropped chanel)

태슬
(Tassels)

턱시도
(Tuxedo)

테일러드 자켓
(Tailored jacket)

테일코트
(Tailcoat)

트렌치
(Trench)

파카
(Parka)

판초
(Poncho)

퍼 코트
(Fur coat)

퍼프-슬리브
(Puff-sleeve)

페플럼
(Peplum)

푸퍼
(Puffer)

프린세스 스윙코트
(Princess Swing)

피코트
(Peacoat)

허리주름 자켓
(Eased-Waist)

화이트-타이
(White-tie)

셔츠 (Shirts)

드래이핑
(Draping)
랩
(Wrap)
랩 버스트
(Wrap-Bust)
러플
(Ruffle)
롤드-슬리브
(Rolled-Sleeves)
만다린
(Mandarin)
밀리터리
(Military)
버스트-포켓
(Bust-Pockets)
버튼 다운
(Button-Down)
벨티드
(Belted)
브이넥
(V-neck)
블라우스
(Blouse)
세일러
(Sailot)
스모크
(Smoke)
스웻셔츠
(Sweatshirt)
스윙
(Swing)
슬리브리스
(Sleeveless)
옥스포드
(Oxford)
웨스턴
(Western)
자보
(Jabot)

점퍼
(Jumper)

집시
(Gypsy)

코르셋
(Corset)

코사크
(Cossack)

크롭드
(Cropped)

탱크탑
(Tank-Top)

터틀넥
(Turtleneck)

턱시도
(Tuxedo)

튜닉
(Tunic)

튜브탑
(Tube-Top)

트라페제
(Trapeze)

티셔츠
(T-shirt)

페전트
(Peasant)

페플럼
(Peplum)

폴로
(Polo)

푸시-보우
(Pussy-Bow)

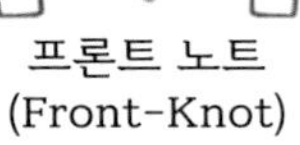

프론트 노트
(Front-Knot)

프린스 베스트
(Princes Vest)

핀턱
(Pin Tuck)

핏티드랩
(Fitted-Wrap)

핏티드 셔츠
(Fitted-Shirt)

핏티드 티셔츠
(Fitted-T shirt)

헨리
(Henley)

드레스 라인
(Dress shape)

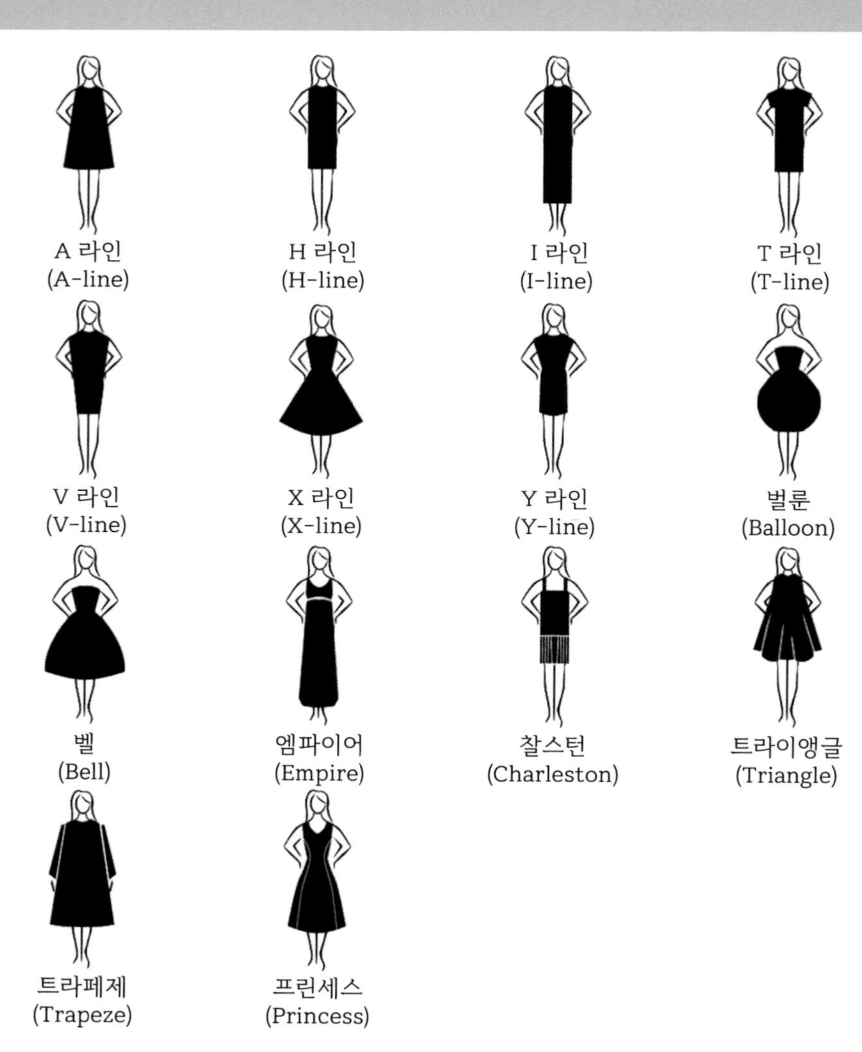
A 라인
(A-line)
H 라인
(H-line)
I 라인
(I-line)
T 라인
(T-line)
V 라인
(V-line)
X 라인
(X-line)
Y 라인
(Y-line)
벌룬
(Balloon)
벨
(Bell)
엠파이어
(Empire)
찰스턴
(Charleston)
트라이앵글
(Triangle)
트라페제
(Trapeze)
프린세스
(Princess)

넥라인 (Neckline)

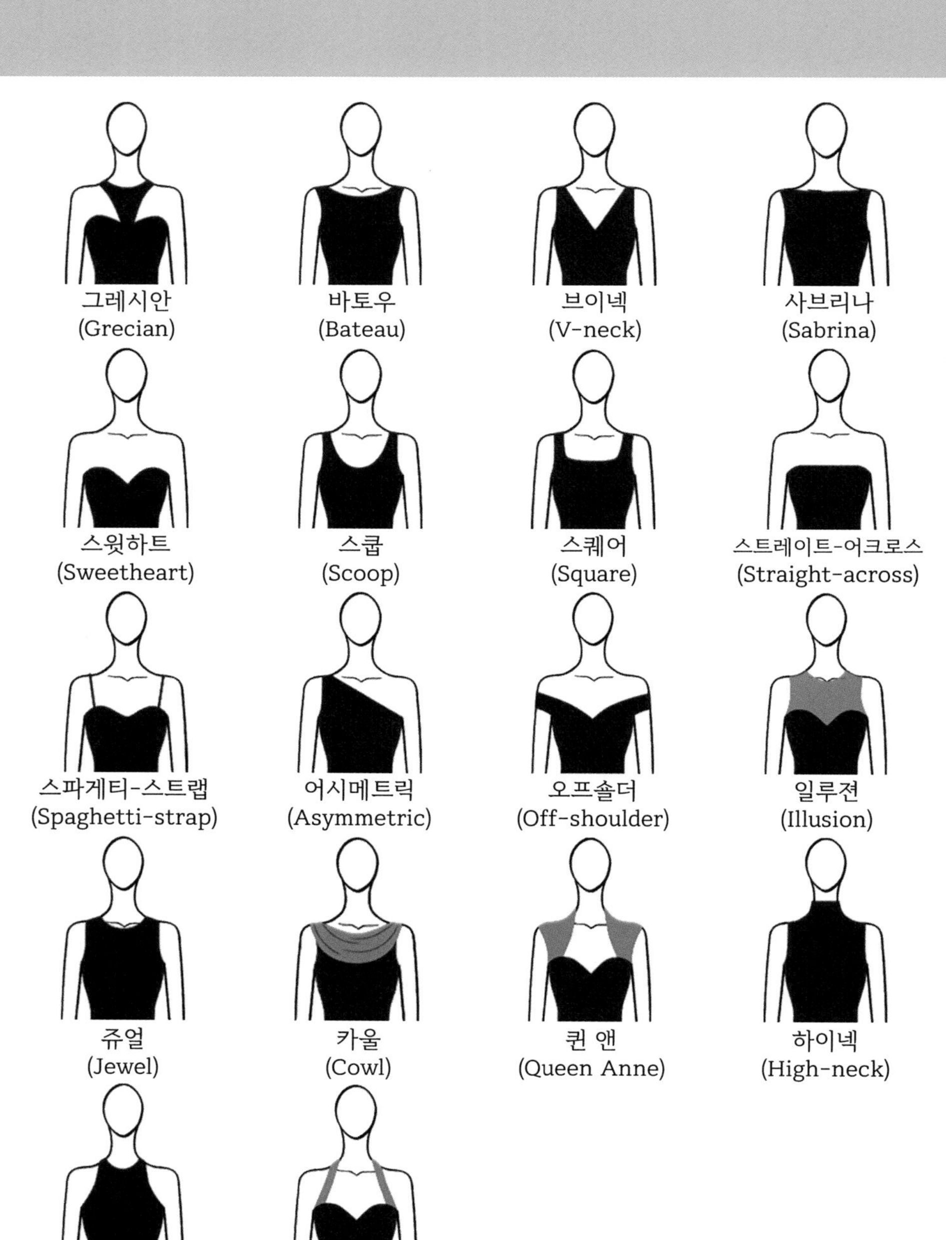
그레시안
(Grecian)
바토우
(Bateau)
브이넥
(V-neck)
사브리나
(Sabrina)
스윗하트
(Sweetheart)
스쿱
(Scoop)
스퀘어
(Square)
스트레이트-어크로스
(Straight-across)
스파게티-스트랩
(Spaghetti-strap)
어시메트릭
(Asymmetric)
오프숄더
(Off-shoulder)
일루젼
(Illusion)
쥬얼
(Jewel)
카울
(Cowl)
퀸 앤
(Queen Anne)
하이넥
(High-neck)
할터
(Halter)
할터 스트랩
(Halter-strap)

소매 (Sleeve)

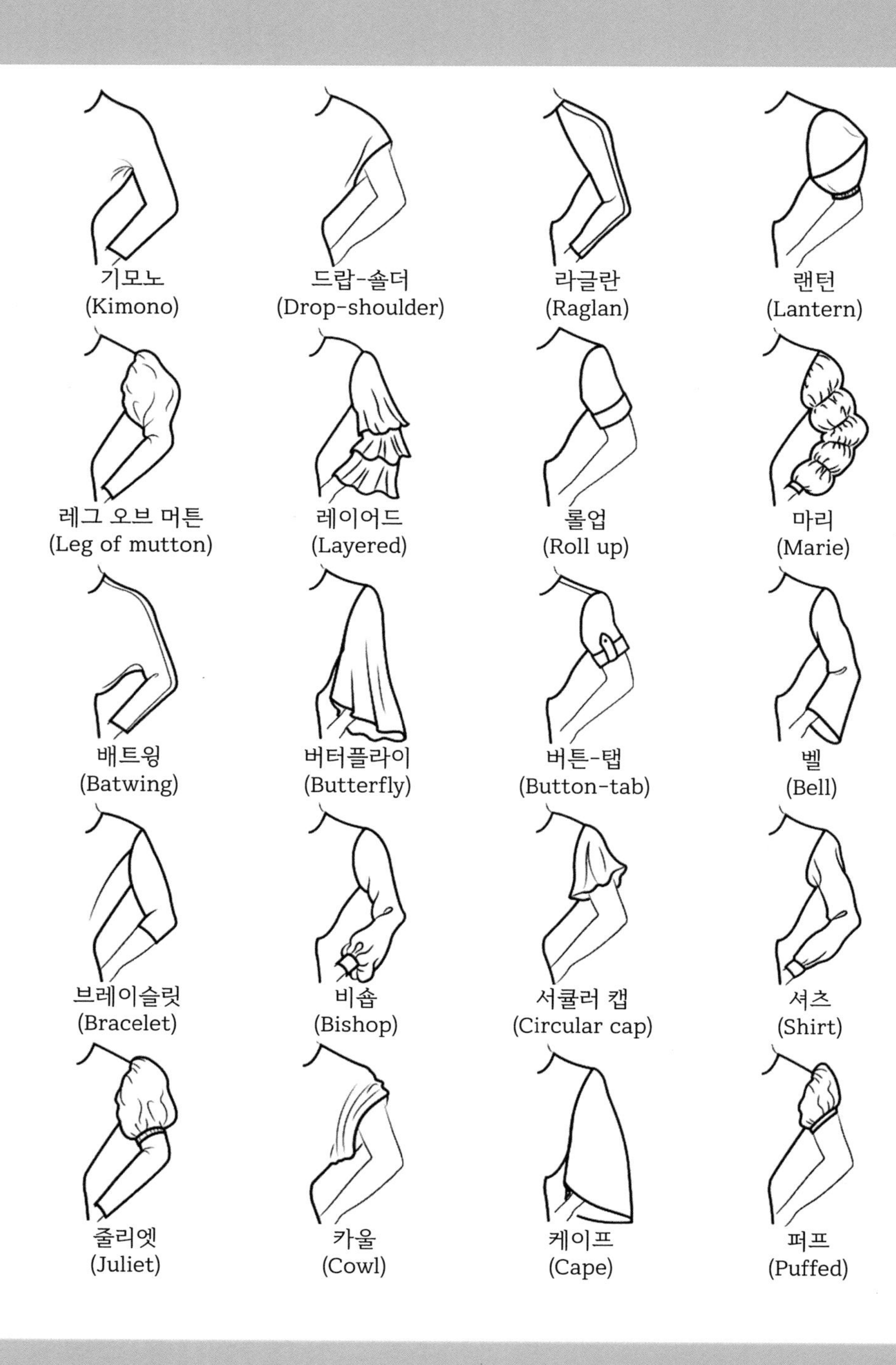
기모노
(Kimono)
드랍-숄더
(Drop-shoulder)
라글란
(Raglan)
랜턴
(Lantern)
레그 오브 머튼
(Leg of mutton)
레이어드
(Layered)
롤업
(Roll up)
마리
(Marie)
배트윙
(Batwing)
버터플라이
(Butterfly)
버튼-탭
(Button-tab)
벨
(Bell)
브레이슬릿
(Bracelet)
비숍
(Bishop)
서큘러 캡
(Circular cap)
셔츠
(Shirt)
줄리엣
(Juliet)
카울
(Cowl)
케이프
(Cape)
퍼프
(Puffed)

페전트
(Peasant)

페탈
(Petal)

포엣
(Poet)

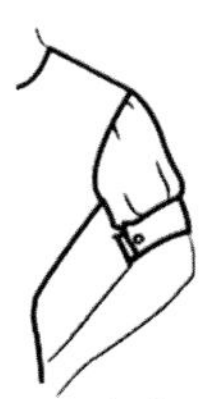

프렌치
(French)

칼라 (Collar)